A CAMISA DO MARIDO

OBRAS DA AUTORA:

GUIA-MAPA DE GABRIEL ARCANJO (Romance)
MADEIRA FEITA CRUZ (Romance)
TEMPO DAS FRUTAS (Contos)
FUNDADOR (Romance)
A CASA DA PAIXÃO (Romance)
SALA DE ARMAS (Contos)
TEBAS DO MEU CORAÇÃO (Romance)
A FORÇA DO DESTINO (Romance)
O CALOR DAS COISAS (Contos)
A REPÚBLICA DOS SONHOS (Romance)
A DOCE CANÇÃO DE CAETANA (Romance)
O PÃO DE CADA DIA (Fragmentos)
IL NUEVO REGNO (Contos, Itália)
A RODA DO VENTO (Romance infantojuvenil)
O CORTEJO DO DIVINO (Contos)
O PRESUMÍVEL CORAÇÃO DA AMÉRICA (Discursos)
LE JARDIN DES OLIVIERS (Contos, França)
ATÉ AMANHÃ, OUTRA VEZ (Crônicas)
VOZES DO DESERTO (Romance)
APRENDIZ DE HOMERO (Ensaio)
CORAÇÃO ANDARILHO (Memórias)
LIVRO DAS HORAS (Memórias)
LA SEDUCCIÓN DE LA MEMORIA (Ensaio, México)
TENHO APETITE DE ALMAS (Fotobiografia)
OS MELHORES CONTOS DE NÉLIDA PIÑON (Contos)

A CAMISA DO MARIDO
NÉLIDA PIÑON

2ª EDIÇÃO

EDITORA RECORD
RIO DE JANEIRO • SÃO PAULO
2014

CIP-BRASIL. CATALOGAÇÃO NA PUBLICAÇÃO
SINDICATO NACIONAL DOS EDITORES DE LIVROS, RJ

        Piñon, Nélida
P725c   A camisa do marido / Nélida Piñon. – 2ª ed. –
2ª ed.   Rio de Janeiro: Record, 2014.

        ISBN 978-85-01-06633-6

        1. Conto brasileiro. I. Título.

                              CDD: 869.93
14-14849   CDU: 821.134.3(81)-3

Copyright © Nélida Piñon, 2014

Todos os direitos reservados. Proibida a reprodução, armazenamento ou transmissão de partes deste livro, através de quaisquer meios, sem prévia autorização por escrito.

Texto revisado segundo o novo Acordo Ortográfico da Língua Portuguesa.

Direitos exclusivos desta edição reservados pela
EDITORA RECORD LTDA.
Rua Argentina, 171 – 20921-380 – Rio de Janeiro, RJ – Tel.: 2585-2000

Impresso no Brasil

ISBN 978-85-01-06633-6

Seja um leitor preferencial Record.
Cadastre-se e receba informações sobre nossos
lançamentos e nossas promoções.

EDITORA AFILIADA

Atendimento e venda direta ao leitor:
mdireto@record.com.br ou (21) 2585-2002.

A Machado de Assis, mestre de todos

Sumário

A camisa do marido   9

O trem   36

Dulcineia   48

A mulher do pai   71

Para sempre   86

A sombra de Carlos   93

Em busca de Eugênia   111

A quimera da mãe   133

A desdita da lira   143

A CAMISA DO MARIDO

Ao retornar do cemitério, Elisa organizou os pertences deixados pelo marido. Agia como se ele tivesse viajado sem aviso, faltando-lhe tempo para cuidar dos próprios bens. Ao mover-se pelo quarto com aparente indiferença, era como se o homem ainda vivesse e ela nada soubesse dos pormenores dessa morte. Ignorando, portanto, em que circunstância fora executado, e não devendo repartir com os filhos as suspeitas que guardava sobre o nome do algoz. Valia fingir que o assunto não lhe dizia respeito, não havendo providências que tomar. E assim se comportou, indiferente ao alvoroço dos familiares que comiam durante o velório, antes de fecharem o caixão.

Elisa tinha convicções. Como a de que a vida em breve se encarregaria de trazer o culpado, morto, até sua casa, onde, estendido na mesa da cozinha, ficaria exposto à sua maldição e ao festim familiar.

Seu aspecto resignado, contudo, não convencia a família. O rosto da matriarca expressava muitas vezes o contrário do que dizia. Era comum rugir de repente, em seguida a breve instante de serenidade, e se lançar contra a jugular de um animal, com a faca afiada, e sacrificá-lo sem piedade, de nada servindo que o finado marido tentasse retê-la. E estava igualmente pronta a executar quem fosse, de cuja inocência duvidasse.

Após o enterro, já no quarto, sozinha pela primeira vez em trinta anos, Elisa se desnudou. O espelho revelava um corpo envelhecido. Para este momento, escolheu a camisola da noite de núpcias, com cheiro de naftalina, há anos na gaveta. E pensou o que fazer com as peças íntimas do marido, que ele preservara como lembrança da noite de amor que haviam vivido. Decidiu, então, que a camisa do marido o substituiria no leito. Para isso, guardou a peça, manchada de sangue, dentro de uma urna posta na cama, como a lembrança mais duradoura do homem. Relíquia que demonstrava um zelo que ele teria apreciado.

Com essa decisão, ambos teriam uma outra noite, mais feroz que a primeira, para se amar. E, a partir daquele dia, passaria a considerar os trapos

A CAMISA DO MARIDO

destroçados pelo punhal assassino um símbolo daquele que não a deixara por vontade própria, e que antes jurara permanecer ao seu lado até a morte. Não haveria outro homem em sua cama.

Essa mulher me ama com desvario. Preferia que me amasse menos. Eu me sentiria a salvo de suas investidas, que não me deixam em paz. A intensidade é assassina, não tem medida. Sempre soube que Elisa era feroz, uma mulher que amo enquanto seu amor me beneficia. Ainda assim, meu amor é insuficiente. Ela quer mais, exige que seja só dela. Minha carne é sua porque a dela é minha. Tudo dela obriga o corpo a percorrer as vias do crime passional.

Certa vez, porque pedi trégua ao meu corpo exaurido, ela protestou, suspeitou de que outra mulher me saciasse. Precisei abafar seus gritos com o travesseiro para os filhos não ouvirem.

— Com quem me traiu? Confesse. Jure que é inocente.

Para acalmá-la, exortei que trouxesse a Bíblia. Estava disposto a jurar sobre o livro sagrado, que provaria minha inocência. E, não bastasse meu temor a Deus, assinaria um documento mediante o qual renunciaria à parte que me cabia dos nossos bens, caso provasse minha traição. Ela interrompeu os soluços. A proposta lhe satisfez. Perder os bens e ela, ao mesmo tempo, constituía punição suficiente.

— Aceito. Nesse caso, você merece ficar na miséria, dependendo da minha bondade. Prometo lhe dar diariamente um prato de sopa.

Sem perda de tempo, ela redigiu minha renúncia com expressões dramáticas. Abdicar aos meus bens exigiu um parágrafo detalhado. E, previdente, fez o documento valer caso prevaricasse no futuro. Assinei o documento sem lê-lo, querendo me livrar de Elisa e deixar o quarto. Mas ela, após colocar o papel na gaveta, amou-me com um ímpeto que há muito nos faltava.

Após a morte do marido, Elisa emudeceu por alguns dias. De luto, o traje negro ficava-lhe bem. Exagerava em seu ascetismo. Parecia sujeita a uma prescrição religiosa. Cancelou qualquer visita, exceto a dos filhos, que vinham no final da tarde e cujo ruído contrastava com a paz imposta à casa. Ela própria providenciara as iguarias que eram do agrado do marido, com a condição de os filhos exortarem o pai durante as refeições. Ao morto deviam a fartura. E, com gesto vago, fazia-lhes ver que a fortuna feita pelos dois ficaria sob sua guarda.

Naquelas semanas, emitiu avisos mediante escassas palavras. Mas deixava claro que o marido, Pedro, nome de apóstolo, fora sacrificado para salvá-los:

— Ele morreu por vocês. No esforço de trazer comida para casa, o marido fez desafetos. Nunca quis uma família pobre.

Sofro por ser o primogênito. Sinto que carrego o fardo do mundo. Aguento além da minha vida a dramaticidade

A CAMISA DO MARIDO

da mãe que cobra o sangue dos filhos, que goteja entre seus dedos. Irascível e autoritária, ela repete que a vida é injusta e o destino, amargo. Se tínhamos agora a despensa abarrotada de víveres, em compensação o pai já não estava entre nós para secar o pão no molho da carne assada, como era de seu gosto. Mencionava a pobreza como se não fosse a nossa casa a mais rica da redondeza. E o fazia para nos forçar a evocar o pai e a dívida que contraíramos com ele.

— Pedro ainda vive, sem ter ressuscitado no terceiro dia. Não morreu ainda porque meu amor não deixa. Mas em breve anuncio sua morte. Sobretudo a você, Tiago, meu primogênito.

Mal decifro o que a mãe me diz. Ainda assim, tentei reconciliar-me com ela após a morte do pai. Quem sabe me ouvisse, me fizesse um afago, me ajudasse a esquecer as vezes em que desejei sua morte. Mas ela se esquiva. Só se deixa ver ao final da tarde, quando chegam os outros irmãos, todos na mesma hora, como se houvéssemos combinado. Ela aceita nossa presença sem um afeto. Manda servir a comida, os doces e o café. Não há nela um traço de amor, exceto para o pai, vivo em sua memória. Ao contrário, procura em cada filho uma brecha por onde atacar. Somos para ela aves de rapina querendo dinheiro. Antes que falemos, diz que só herdaremos após sua morte. Comporta-se em consonância com a vontade do marido, pois ambos firmaram tal acordo no inferno do paraíso em que viveram naqueles trinta anos.

Sempre quiseram escorraçar aqueles filhos que roubavam a solidão exigida pelo amor que sentiam.

Elisa rejeitava o auxílio da família. Sua viuvez cobrava independência. Contava com a memória do marido para aconselhá-la. Além do mais, os filhos falhavam sempre que os incumbia de uma tarefa. Melhor era acantoná-los na mesa, a pretexto das refeições, enquanto ela se servia de uma sopa rala salpicada com farelo de broa de milho, o bastante para não desfalecer.

Zelava por estar a sós com o fantasma de Pedro. Seu silêncio intimidava os familiares, que custavam a crer que o desgosto pela perda do marido lhe tivesse amortecido a carne e roubado o instinto de luta. Quem conhecia a mãe, havendo sido ela a imagem do pai, apostava que em breve retomaria o governo da casa, disposta quem sabe a vingar-se.

A mãe finge acreditar em Deus. Proclama ser religiosa e exige que eu, seu caçula, o último a lhe nascer, que recebeu na pia batismal o nome de Mateus, vá à missa em seu lugar, enquanto fica em casa aos domingos, talvez rezando. Contrário ao pai, que, em matéria de Deus, tinha um genuflexório no quarto, onde se ajoelhava para pedir fortuna aos santos. Sua crença era de que cabia a Deus incrementar os bens dos homens, como ele. Agora, porém, na condição de viúva, ela faz seguidas vezes o sinal da cruz, como uma

A CAMISA DO MARIDO

penitente que, entregue a Deus, está pronta a perdoar os pecados do mundo. Nos últimos dias, aliviou o luto. Leva trajes brancos, que o pai apreciava. Enche sua tigela com pão dormido encharcado com café e leite fumegantes. Afunda a colher na pasta desfeita até consumir a última migalha. Foi quando, de repente, levou a mão ao peito, auscultando o coração, para medir as pulsações.

— Quero o coração sôfrego. É com ele que darei início a uma batalha sem trégua.

A altura da mãe contrastava com a dos filhos, altos como o pai. Mas, embora pequena, enfrentava bichos e homens. Não temia os filhos, que governava com simples gesto. Ordenou, então, que Tiago tomasse assento à sua direita.

Nem sei por que peço que o primogênito me faça companhia. De nada ele vale. Nasceu covarde. Mas acaso confio em Mateus e Lucas? Eles têm o coração indulgente. Não conhecem as leis da guerra. Não herdaram o temperamento meu e do pai, que até entre nós nos temíamos. Sempre soubemos, ao longo dos anos, que cada qual representava um perigo para o outro. E tal certeza fazia bem à vida conjugal, mantinha o leito aquecido.

— A campa do pai é provisória. Está na hora de preparar uma sepultura que abrigue nós dois e mais ninguém da família. Para esses assuntos o sangue não vale para a eternidade.

Exigi que os filhos fizessem um túmulo espaçoso. Nele deviam caber nossas duas histórias, uma história que começou quando nos enamoramos. E que guardasse ainda lugar para os sentimentos que experimentamos ao longo do tempo. Mas teriam eles sensibilidade para compreender a tragédia do amor que não cessa nem depois da morte?

Elisa tinha pressa, mas que Tiago não se descuidasse de vedar as juntas e as paredes da campa, para a chuva não prejudicar, no futuro, o repouso do casal. Se não tinha como impedir a ação do tempo nos restos do marido, que se respeitassem os detalhes:

— São duas lápides apenas. Cada qual leva os nomes de Pedro e Elisa.

Naquela noite, o barulho da chuva confortou-a. Abriu a urna e trouxe a camisa ensanguentada para perto do corpo. O tecido ainda mantinha o cheiro ativo do morto. Fechou os olhos para o marido não lhe surpreender a dor.

Sou o único dos filhos que não fala, não responde e vive recolhido no vazio da própria existência. Pouco importa que a mãe me ame ou não, ou que o pai se esquecesse do filho do meio, cujo nome, Lucas, escolheu com certo desdém. Nunca me levava para pescar. Deixava-me para trás e seguia com Tiago e Mateus. Os irmãos se sentiam heróis, capazes de trazer de volta para casa a baleia de Jonas e o cadáver do pai, a quem nunca amaram. Um pai para quem

A CAMISA DO MARIDO

os filhos não existiam. Só tinha olhos para a mãe e para as moedas que ia empilhando sobre a cômoda do quarto, antes de lhes dar destino. Seu ensino consistia em nos despertar a cobiça. Havia que amar a mulher e o dinheiro acima de tudo. Palavras que a mãe aplaudia, enquanto nos dava as costas. Ambos excluíam o mundo para se possuir, e fizeram dos filhos uns inválidos.

Quanto a mim, não sei bem quem sou. Vivo das sobras desses espíritos temerários que maltratam a terra. Que testemunho esta família me deixa, que me persegue sempre que tento sonhar? Li em algum livro que a inquietação da alma assegura a perpetuidade da civilização. Será? O fato é que vivo só, minha casa é pequena, onde recebo uma mulher ou outra com ordem de partir após o sexo. Mal aguento a vida, e meu consolo agora é aguardar a morte da mãe para me livrar desta família. Verei, então, o que fazer.

Pela manhã, Elisa repôs a camisa na urna, agora sobre o colchão.

— Jamais o esquecerei, mesmo depois da minha morte. É o meu trato.

Após a sentença, retirou do armário alguns pertences provindos da sociedade conjugal, os quais repartiria entre familiares e paroquianos, como se fossem estrume, com a condição de não lhe pedirem explicações sobre a origem dos objetos. Ou lhe indagarem se a caixa de música que tocava *Pour Elise* seria uma homenagem ao seu nome. Um presente dado pelo marido, já de volta à fazenda, ao regressarem da única viagem ao estrangeiro. Uma excursão interrompida após uma semana longe da casa, quando ambos, trancados no quarto do hotel, ao se sentirem perdidos na pátria alheia, confessaram um para o outro que se viam em meio a uma tormenta a lhes prescrever que convinha abandonar o mal originário do mundo urbano, no qual estavam de passagem.

Mas, ao vasculhar os armários, Elisa temeu descobrir que não valera a pena viver. E que não faria diferença preservar o que fosse nos fundos das gavetas. Assim, dar esses objetos não seria sinal de generosidade, mas um modo de destilar sua raiva pelo mundo, de perder critérios mantidos enquanto o marido vivia. Afinal, era dona agora de seu destino.

Hesito em cumprir a tarefa que a mãe me delegou sem ao menos passar a planta da sepultura que vi em seu poder, para testar se serei capaz de adivinhar o que deseja. E por que insiste em chamar a sepultura de morada, como se a ossada deles fosse fazer amor? Ela põe defeito em tudo que faço. É tão difícil lhe agradar ou contar com os irmãos, que torcem pelo meu fracasso. Mateus, só porque é caçula, olha-me com desdém. Sou para eles um cordeiro na iminência de ser sacrificado no tempo pascal. Mas não me restou senão pedir à mãe explicações, o que ela me deu como se falasse com alguém ausente:

A CAMISA DO MARIDO

— Tire as medidas adequadas para o meu coração, que é o mesmo do pai. Recorde que o marido não tinha só o corpo grande, mas uma alma gigante.

Em seguida, a voz de Elisa falhou, e a cabeça já não sustentava o peso do mundo que lhe caíra em cima. Pálida, quase a tombar, Tiago arrastou-a para a cadeira de magistrado, de uso exclusivo do pai, de respaldo alto, os braços revestidos de um veludo já puído, em que repousou. Alguns minutos depois, ela se pôs de pé, tomando a direção do quarto.

Não ouvi o que a mãe disse ao regressar a seu quarto. Tenho dificuldade em ouvi-la, exceto quando altera a voz e me ofende. Nessas horas seu verbo é impiedoso. Mesmo no meu aniversário, ao me entregar o dinheiro, não me poupa:

— Não se esqueça de que me deve a vida.

Tiago abandonou a sala em direção a sua casa, não longe dali. Sentiu febre no trajeto. Abriu a porta na expectativa de que Marta o aguardasse. Ele não tinha outro lugar onde se refugiar.

Sou a mulher deste homem e me arrependo. Lamento que seja meu marido e que eu pertença a sua família. Aqui estou aguardando sua chegada, vindo da casa da mãe. Em geral não se atrasa nem desiste de retornar a este ninho desfeito, como eu preferia. Ele não bebe, não fuma e só me trai com putas. É rápido nessas visitas. Por mim, ficasse com elas para sempre. Mas quem eu poria em seu lugar para me sustentar? Como desistirei de sua herança? Lá está ele, passando a chave no ferrolho. Entrou. Tenho que lhe dar as boas-vindas sabendo de antemão que é um homem derrotado, que não reage.

Marta servia-lhe a comida fria como expressão de seu desgosto. O marido aceitava que o recriminasse com uma linguagem evasiva, a cobrar-lhe uma reação que não tinha como ativar. Ainda assim, ela exigia que Tiago fosse até a mãe, naquele momento mesmo, para golpeá-la, derramar veneno em seu café.

Esta mulher é tão cruel quanto a mãe. Ambas se igualam. Só que Marta ignora que a mãe tem os sentidos de bicho, nunca se distrai. Só com o pai desligava-se da realidade. Ainda assim retomava a atenção, fiscalizava o marido, contrariando o que ele lhe dissesse, que bem poderia significar perder o único interlocutor que jamais tivera. Do marido dizia, a fim de ser ouvida:

— *Como posso me salvar sem ele?*

Marta exigia que a sogra dividisse alguns dos recursos que o matrimônio acumulara. Aos domingos, ela acentuava a ladainha diária e, para demonstrar seu desgosto, não ia à missa com Tiago.

— Esta velha, além de me martirizar, impede-me de ir à igreja aos domingos. Mas como rezar, se tenho o coração cheio de raiva? Peco por culpa dela

A CAMISA DO MARIDO

O marido mantinha-se insensível a seus apelos. E, para abafar suas admoestações vulgares, tapava os ouvidos, incapaz de suportar o sofrimento que mãe e esposa lhe infligiam.

— Ainda mato as duas, murmurou recolhido na igreja, perto do altar.

Confrontada com o mutismo do marido, Marta cravava-lhe a unha no braço, inconformada com estar unida a um covarde que os pais só deram vida para tê-lo a seu serviço, sem ao menos compensá-lo pelos maus-tratos.

Ele devorou a comida fria e seguiu para a cama. Não contava com a mulher para lhe satisfazer o desejo. Seu corpo já não lhe apetecia. Tal indiferença estendia-se às mulheres, com exceção daquelas que frequentava no bordel da vila. Com elas, testava a firmeza do membro golpeando-as sob o impulso da raiva que mãe e esposa, parte de uma raça maldita, instilavam-lhe.

Mas, disposto a seguir à risca os desígnios da mãe, aprontou-se cedo. O capataz o interrompeu:

— Venha, patrão. Houve uma desgraça.

Foi tudo rápido. No pátio, lá estavam a mãe e um estranho mortos. No local do crime, viu Mateus, alguns empregados e os vizinhos, que chegaram antes dele e de Marta, que o acompanhara. Sem lhes dar atenção, sobretudo ao irmão caçula, sempre intruso, ordenou que o jardineiro desse início à história, mas ele, murmurando algumas palavras, não soube prosseguir. Olhou para o patrão, Mateus, pedindo ajuda. Não tinha como avançar por um relato repleto de veredas, sendas, atalhos.

O caçula, sob o resguardo de um silêncio deliberado, não quis falar. Parecia dispensar qualquer minúcia que explicasse a razão de ela estar esticada no pátio, morta, com a mão direita agarrada à faca ensanguentada, tendo ao lado, como se fora seu amante, o vizinho, antigo desafeto do pai, também morto, com o peito esburacado pela arma ora em poder da mãe.

Tiago emitia ordens a esmo, aflito por esconder de Marta o medo que a mãe, mesmo morta, ainda exercia sobre ele, incapaz de compreender o que faziam juntos os dois corpos estendidos no chão do pátio, um estranho e a mãe, sem acreditar que ela, em ato insano, esfaqueara o homem corpulento, para dar cabo em seguida à própria vida. Ou aceitar a versão de que um algoz, após perpetrar o crime duplo, prendera a faca ensanguentada entre os dedos da mãe com o intuito de assegurar sua inocência.

Cercado de familiares e vizinhos, que iam chegando, Marta assoprou-lhe ao ouvido:

A CAMISA DO MARIDO

— Leve a mãe para dentro, antes que seja tarde. A tragédia é nossa, não é dos estranhos.

O drama da mãe o paralisara. Impedira-o de livrar a mãe dos olhares alheios comprazidos com a vergonha da família. De viver uma cena que a mãe própria repudiaria, ela que sempre defendera o direito ao mistério, a ponto de proibir que os filhos invadissem o quarto, o recinto sagrado do amor pelo marido. Por tal razão apagou, quem sabe, antes mesmo do último suspiro, os indícios que teriam ajudado a esclarecer o crime, assim impedindo de concluir quem matara o homem e a sentenciara à morte. Acaso ela ao menos tentara se afastar do local do crime para rastejar em direção à casa?

A mãe redigia com desenvoltura. Desde a infância desenvolvera talento para a escrita. O pai, quando em apuros, recorria a ela para salvá-lo, e Elisa o socorria para acentuar a dependência do marido. No entanto, na hora de morrer, se de fato fora quem planejara aquelas mortes, dispensou o bilhete capaz de esclarecer semelhante desfecho, embora, observando-se o ocorrido, sem dúvida faltariam à mãe condições físicas para apunhalar o homem seguidas vezes.

Subjugado pela cena, conquanto o mais velho dos irmãos, Tiago não reagia. Limitou-se a desabafar, esquivando-se de olhar Mateus, o irmão caçula:

— Quem matou o homem e talvez a mãe? E o que fazia esse desgraçado em casa?

Mateus aproveitou-se da inércia de Tiago. Ao lado de Marta, como se fora seu marido, elevou a voz para que vissem todos que assumia o papel de primogênito:

— Em casa eu lhes conto o que sei. Siga-me a família. Os demais estão dispensados.

Agarrou o corpo da mãe e dirigiu-se para a sala de jantar. Sobre a mesa, onde faziam as refeições, empurrou a fruteira para o canto e depositou o corpo.

Em seu encalço, Tiago ressentiu-se com a operação que o anulava. Mas nem seu enfado, visível a todos, refreou as iniciativas do caçula, decidido a lhe roubar o prato de lentilha.

O momento era propício ao choro. Mateus, contudo, sofreou a emoção que ameaçava aflorar:

— Deixem os lamentos para depois.

Tiago aproximou-se do corpo da mãe, ignorando as ordens do caçula. Marta, porém, vigilante, expulsou-o da mesa. Vencido pela mulher, dirigiu-se ao irmão caçula:

— Conte logo o que houve.

Marta interceptou sua fala:

— Foi a sogra assassinada ou teve morte natural?

A CAMISA DO MARIDO

Tenho a mulher contra mim, a favor do caçula, quase a declarar que é sua amante e que sou um homem traído. Ambos, de comum acordo, havendo declarado guerra contra mim. Só que Mateus não se apressa. Tem o cadáver da mãe como penhor. Está convencido de que não sou homem para reclamar o corpo da morta. Mantém-se em silêncio para me desmoralizar, enquanto aprimora a história que nos vai contar. Não passa de um ganancioso disposto a roubar os bens da família. E, se está ajeitando agora a camisola da mãe, a fazer o que nem eu e Marta fizemos, é para convencer aos demais que zela pelo pudor dela. Insinua assim conhecer o coração da mãe, que lhe fazia confidências, havendo-lhe mesmo confessado, quem sabe, que o marido defendia a honra de sua esposa mesmo em meio aos ardis do amor.

Mateus, afinal, sempre se intrometeu onde não devia, para quem tudo era motivo de chacota. Forçava a reação dos outros irmãos para ter pretexto de reclamar com a mãe, de nada valendo eu me defender, já que a mãe desconfiava de todos. E o castigo terminava atingindo os três irmãos.

— Façam como o pai e eu, que não lhes levamos problemas.

Pousado seu olhar em mim, a mãe, então, incutia uma valentia que me faltava. Ela sabia que eu não nascera para ser um guerreiro com o dom das armas, capaz de revidar aos ataques inimigos, diferentemente do caçula, que golpeava quem fosse, como agora, prestes a falar.

Desconfiei de antemão do que nos iria dizer. Começou citando a tragédia grega, como se fosse um leitor ávido, para confessar que, no início da noite, tomado por sentimento inquietante, decidiu dormir na casa da mãe. Ao chegar, estranhou os dois empregados, contratados após o assassinato do pai, tombados sonolentos sobre o gramado. Instalou-se então no quarto reservado aos filhos, atento a qualquer ruído. E, nesse momento, compungido, inclinou a cabeça, disposto a comover os que o ouviam. O irmão era um oportunista que tirava proveito até da morte da mãe, dando a entender que temia a vinda à casa do assassino do pai, a fim de ajustar contas que ainda não haviam sido quitadas. Então, com um aceno, ele exigiu atenção dobrada. Vejamos o que vai dizer.

— Estas confidências me são penosas. Sofro repartindo com vocês o que presenciei. De todo modo, o que ora lhes digo não tem relevância. Sempre poderemos, no futuro, consultar o diário da mãe. Mas voltemos aos acontecimentos. A angústia em defender a mãe em caso de urgência não me deixava dormir. Foi quando um ruído me atraiu a atenção. Sem medir as consequências, só pensando em salvar a mãe, pulei a janela, ignorei os empregados e me escondi atrás do tronco da mangueira. Mas

A CAMISA DO MARIDO

reconheço agora que, conquanto armado, deveria ter despertado os homens e prosseguido com eles. Decidi arriscar a vida a fim de proteger a mãe.

Tiago viu brecha no relato. Avançou em direção ao irmão com o dedo em riste:

— Como pôs em risco a vida da mãe?

Marta olhava-os prevendo um desfecho violento após o grito do marido, que o caçula, no entanto, desconsiderara. Pensou em com quem Mateus aprendera a arte de humilhar Tiago em seu benefício. Mas não se apiedou do marido, castigado pelo caçula que pleiteava chefiar a família. O marido, porém, percebendo a derrota iminente, se ressentia com a ascendência do irmão menor sobre os ouvintes. Talvez temesse que a mulher, a quem chamara de vagabunda em momento de desespero, convidada pelo caçula, fugisse com ele.

Marta media o grau da dor sofrida pelo marido, não por perder a mãe, pois pouco lhe importava, mas por estar na iminência de vender a primogenitura por simples prato de lentilha.

— Ao ver o homem arrastando-se na surdina, pus a mão na coronha do revólver, pronto a disparar. Mas quis primeiro avançar nas minhas conjeturas. Escondi-me, então, como já lhes disse, atrás da mangueira.

— Mas a que árvore se refere? São várias mangueiras, disse Tiago, lutando para empanar o brilho da narrativa do irmão.

Faltava-lhe ter dito que as mangueiras existentes desafiavam o tempo. Uma delas, por exemplo, plantada pelo avô, ensejava ao pai declarar que morreriam todos, menos aquela árvore, que registrava a história da família. Anotou, pois, com especial prazer, as lacunas narrativas do caçula, que empobreciam o drama. E, contando com esse pequeno trunfo, aproximou-se do irmão. Foi, porém, detido pela mirada fria de seus olhos azuis, em que não havia dor. Mateus prosseguia:

— Embora separados por alguns metros, o estranho, perto do pátio, não percebeu minha presença, que atentava também a quem mais estivesse por chegar. Acaso viera dele o ruído inicial, que ouvi no meu quarto? O traje escuro do homem confundia-se com a noite, mas não tive medo. A curiosidade me dava coragem. Logo em seguida surgiu outro homem, cujos sapatos faziam barulho contra os cascalhos. Parecia confiante em cumprir um dever. Sua mirada repartia-se entre o relógio de pulso e a janela do quarto da mãe, não longe dali.

Mateus fora sempre loquaz. Confiava, pois, na atração que o enredo exercia. Afinal, ninguém estava

A CAMISA DO MARIDO

isento da tragédia, que ele acentuava com tintas exageradas, enquanto ia desenhando no fundo da tela invisível a reconstituição de uma cena que só ele vira.

Eu não perdia o irmão caçula de vista. Era um exibicionista, que ditava as pausas necessárias para criar o efeito desejado. O círculo familiar, em vez de prantear a morta, prendia-se agora ao seu verbo, enquanto ele, desejoso de comover os ouvintes, arfava, enxugava os olhos com a palma da mão, para em seguida retomar a palavra com um alento que era mister sustentar, até afirmar que o perigo residia não no recém-chegado, mas no homem atrás da árvore. E tão certo estava que esse mesmo homem, de repente, empunhando o punhal, ágil como um tigre-de-bengala, saltou em direção ao outro, cuja imagem o candeeiro, não longe do local, projetava.

— O metal da faca em sua mão brilhava à luz da lua. Com rara presteza, agarrou o pescoço do homem pelas costas, derrubando-o no chão, para montar em seu peito e esfaqueá-lo com a primeira estocada, seguida de outras, até a vítima cessar de estrebuchar. Desde o início, a ação foi favorecida pelo espanto expresso no rosto do homem imobilizado, cujo sangue esguichava, manchando os dois, até já não insistir em viver.

Mateus, diante da matança, não reagiu. Não lhe cabia deter o assassino, ou baleá-lo. O caso requeria cautela. Julgou prudente aguardar o desfecho. Intuía que algo mais estava por acontecer. O assassino terminara o que viera fazer, mas por que usara a terra deles como palco dessa carnificina?, indagava-se, desejoso de fazer parte de um mistério que talvez estivesse a ponto de ser decifrado.

O caçula não se mexera. Nada fez para impedir a ação assassina. Queria ser parte da emoção provinda do ato e poder narrar com superioridade o que contemplara, sem pretender, contudo, justificar sua omissão.

— Não atirei no homem para não me tornar um assassino ou ser cúmplice do assassinato que o homem perpetrara havia pouco. Mas apontei-lhe a arma, revelando minha presença, a que ele reagiu, retirando o revólver do coldre e então dizendo: "Fique onde está, senão morre também. Quem mata um, mata dois." Detive-me, então. Ele era melhor que eu. Um assassino contratado, mas por quem? Com o revólver em minha direção, ainda não terminara o seu trabalho. Ele e eu olhávamos para a janela do quarto da mãe, por razões distintas. Tive a convicção de que o drama não se esgotara.

Tiago aproximou-se do irmão, para que lesse em seus olhos sua desconfiança.

Não confio em sua confissão. O irmão tarda em nos dizer o que passou. Prorroga seu relato para continuar sendo

A CAMISA DO MARIDO

o centro das atenções. Compete com o cadáver da mãe. E agora, para acentuar a intensidade do episódio, lança-se sobre o corpo inerte. Assegura-nos que, a despeito da dor que sente, a melhor parte da história está por vir.

— A mãe surgiu, já vestida. Pareceu não me ver. Foi direto ao morto, certa de encontrá-lo. Em seguida, olhou o assassino, que aguardava aprovação: "Fez o serviço. Agora me passe a faca. Ela é minha. Foi com ela que arranquei a vida desse miserável que matou meu marido a sangue-frio."

Meses antes, quando lhe trouxeram o marido morto e arrancou-lhe, com as mãos trêmulas, a camisa manchada de sangue, teve certeza de que sucumbira à emboscada armada pelo desgraçado. Havia muito se odiavam. Havia sérias pendências entre eles. A mais grave devia-se que o marido fora acusado de dormir com a primeira mulher desse homem, não havendo jeito de desmentir uma infâmia que ofendia a ele e, mais ainda, a ela. Como supor que o marido a traíra, quando a tinha na cama inteira para ele, que jamais recusara o que seu corpo exigia?

Um dia, esse vizinho cobrou que a esposa confessasse o crime e, como ela se refugiava em agônico silêncio, agarrou sua cabeça contra o peito e a abateu a tiro. Um crime que, tido como defesa da honra, ficou impune. O caso foi esquecido até ele, anos depois, atrair o marido para a igreja, sob pretexto que Elisa nunca soube. Era segunda-feira à tarde, anoitecera, e não havia ninguém por perto quando esfaqueou o marido, salvo um velho que, após presenciar o assassinato a sangue-frio, veio-lhe contar, sem ninguém da casa saber de sua visita.

A mulher me trai com palavras e gestos. Agora se acerca. Talvez julgue que eu recupere de novo os direitos de primogenitura. Quem sabe considere, igual a mim, que Mateus exorbita ao difamar a mãe, ao atribuir-lhe a responsabilidade pelo crime. E que é melhor não confiar nele. Claro que a mãe não teria força para matar o inimigo, mas bem seria capaz de tomar a faca manchada de sangue do assassino do marido e erguê-la com atitude de campeã. Tal suposição não significando que gritara aleluia diante do cadáver do inimigo, mas que, caso o tivesse feito, ajoelhando-se diante do assassino, pretendera simplesmente expressar desprezo e alívio. No entanto, segundo Mateus, o que a mãe dizia, e que mal se ouvia, era um desabafo dirigido a Deus, com quem parecia falar:

— Venci demônios e assassinos. Falta vencer a mim mesma. O marido está vingado. Não tenho mais o que fazer. Agora já podem me enterrar junto ao meu homem, e acrescentem na lápide, além do meu nome: quem muito amou.

E, sem a impedirem, Elisa engoliu a cápsula retirada do bolso da saia. Um veneno que, de efeito imediato, derrubou-a ao chão, o rosto se retorcendo em meio aos estertores, os olhos como que saltados, girando no fundo da órbita.

— Mãe, o que fez?

Mateus sacudiu-a, enfiou a mão goela adentro, para forçar o vômito. Da boca, porém, saiu uma golfada de espuma amarela, seguida de um suspiro que mal se ouvia, e já não se moveu.

Quando cheguei, seguido de Marta, a mãe estava morta. As únicas testemunhas do ocorrido eram o irmão caçula e os empregados. O assassino, não o vi. Desaparecera após a mãe sucumbir, entregue ela unicamente a Mateus, um vampiro desde que nasceu. Ele, que sugou o sangue da mãe e o esperma do pai. E agora, proclamando-se dono do cadáver da mulher que nos pusera no mundo, iludia-se que ela, em nome do amor, tratara-o com desvelo. Mas nada que dizia era verdade. A mãe nunca nos amou. Prova é que, para se vingar do marido, esquecida dos filhos, contratou um esbirro de fora da comarca para desaparecer após o crime, sem deixar vestígios ou provas do acordo que fizeram. Designado o estranho para matar o homem em seu nome, roubou-lhe a faca, ergueu-a para o alto, para ninguém duvidar que fora ela quem matara o assassino do marido. Com um valor que me falta, incapaz que sou de me vingar de quem me faz infeliz.

— Não sei mais o que lhes dizer. Exceto que convém abafar uma história que só a mãe poderia contar. Assim, o que não sabemos, continuemos sem saber.

Dito isso, Mateus sorveu de um só gole o café trazido na caneca. Após fazer crer a todos que, em defesa da honra da mãe, vencera a batalha.

E que, a despeito de ser o último da prole a nascer, tornara-se herdeiro do pai e da mãe, o único capaz de governar os bens da família e responder pelo destino dos irmãos. Quem senão ele?

Tiago e Lucas me contemplam. Eles me invejam. Mas em breve pedirão clemência, que não deixe de supri-los com o pão de cada dia. Não fraquejarei. Só cederei o que for necessário. Neste momento, Tiago se aproxima. Talvez venha se despedir. Mas se deteve, e grita tanto que abafa minha voz. Não consente que eu termine meu relato.

Tiago inclinou-se sobre o corpo da mãe, responsabilizando-a por uma desgraça que lhes salpicaria a existência para sempre:

— Enterremos logo essa desgraçada, que só amou o pai, disse com voz embargada, que ecoou pela sala.

Olhou em torno, como se despedisse dos ocupantes da sala. E, dando-lhes as costas, refugiou-se no quarto da mãe. Abriu a urna pousada sobre a cama,

A CAMISA DO MARIDO

recolheu a camisa ensanguentada do pai e gritou para os que se agrupavam do outro lado da porta:

— Acaso estão me ouvindo? A camisa do pai é minha. Com ela reivindico minha primogenitura.

Tiago correu para o quarto da mãe sem me dar tempo de impedir que se apossasse dos bens guardados no quarto como relíquias. Bati à porta em busca dos meus direitos, mas ele não respondeu. Forcei a porta, mas ele passara a chave no ferrolho.

— Tiago, não precisamos nos matar por conta da herança.

Encerrado na habitação, o primogênito difundia a mensagem:

— De hoje em diante, o quarto é meu. Ninguém entra nele sem minha ordem. As chaves da casa são minhas, assim como todos os pertences.

O caçula retraiu-se, sem abandonar o corredor. As unhas, como garras, aprontavam-se para o combate de fim imprevisível. Não haveria trégua entre eles.

— É a batalha entre Caim e Abel que já começou, sentenciou Marta, ao se ver abandonada pelo marido na sala onde jazia o cadáver de Elisa.

O TREM

O pai amava os trens. Nascido no sul de Minas, em um vilarejo acanhado, vira, desde a infância, o trem cortando a paisagem em direção a São Lourenço, sem se deter na estação local, havia muito abandonada. Após o último vagão serpentear pelos trilhos e desaparecer na curva, atrás da montanha, acenava como se despedisse da sorte que o abandonara ao menos naquele dia. Até a tarde seguinte, quando aguardava esperançoso que a passagem do trem lhe deixasse de novo como lembrança certa imagem fugidia e a fumaça impregnada de carvão.

O pai, à mesa, exigia a presença dos filhos. Só dispensava a mulher, que os servia com pressa porque o marido não suportava prato frio. Em qualquer momento, em meio às garfadas, insinuava em tom

A CAMISA DO MARIDO

nostálgico que, ao se ter privado das luzes da grande cidade, ficara-lhe no coração uma espécie de memória inventada, proveniente das fotos que vira do Rio de Janeiro, e das histórias de que ouvira falar vindas dos países além-mar.

— Sou um caipira, filhos. Que triste sorte...

E isso porque em nenhum momento ele se animara a tomar a estrada, deixar o rincão e trocar o pouco que tinha pela miséria urbana. E depois, com mulher e filhos, tudo o prendia à terra.

Sua sina, além de morrer na casa, era amar a fantasia mais que a realidade. Raro o dia em que não se entretivesse em tecer invenções, contando com a colaboração da mãe, que, sorridente, perdoava-lhe os excessos. Um homem que, se de um lado lhes sonegara a fartura, em troca dera-lhes um humor que se irradiava generoso pelas paredes da casa, graças ao qual não partira na boleia do caminhão em busca de uma terra de onde não se regressa. A mãe aceitava, assim, que ele, a serviço da imaginação, substância tão nutritiva, se mantivesse atado ao lar tanto quanto a ela, que, enquanto cuidava dos afazeres do cotidiano, se empenhava por fazer a todos felizes.

O pai defendia o trem como único transporte capaz de arrancar a família daquele lugarejo para introduzir-nos ao mundo da cartola e da bengala, como nos filmes de Carlito. Por isso, atingira a maturidade sonhando com a locomotiva, cuja força de tração vencia montanhas, despenhadeiros, impulsionando-lhe a voragem onírica.

Na vila, havia um só cinema. Daí o pai condoer-se dos filhos, que, como ele, pouco sabiam do mundo. Com o agravante do trem haver sido expulso da paisagem local, em nome do progresso que as rodovias representavam. O pai chorou quando o trem, ao realizar a última viagem, por razão inexplicável se deteve na velha estação sem lhes dar tempo ao menos de convocar até o prédio em ruína o antigo vendedor de pastel. Também de nada serviria, pois, em menos de dois minutos, a locomotiva seguiu adiante, indiferente aos que se despediam daquela entidade acenando com os lenços, aspirando pela derradeira vez o cheiro de carvão que lhes vinha pela fumaça. Todos cientes de que aqueles vagões jamais regressariam, nem mesmo a pretexto de avivar-lhes a memória.

Em certo domingo, após consultar o livro encadernado, o pai comandou a família a acompanhá-lo, sem dar razões. A mãe, intuindo a longa ausência da casa, acomodou na cesta de vime ovos cozidos, sanduíche de bife à milanesa, goiabada com queijo de minas, bananas e garrafas de groselha. Naquele

A CAMISA DO MARIDO

domingo, o marido daria rédea solta à imaginação e desafiaria as leis da gravidade. Parecia ela conhecer bem os impulsos fogosos do companheiro, talvez por haver sido na intimidade beneficiária de sua exuberância.

Cedo, fomos todos para a velha estação em busca dos vestígios do trem. Apesar do difícil acesso, seguíamos a linha de bitola estreita, recoberta agora de erva, até o local anterior à curva, onde vimos, à margem do costado, um vagão com janelas quebradas, sem porta. Ali abandonado, como irônica lembrança, parecia servir de abrigo a um fantasma nostálgico da presença humana.

Nem o pai, que de hábito perambulava a esmo pelo vilarejo, vira antes aquele vagão, quem sabe arrastado às costas até o local só para o pai dançar em torno, tomado pela alegria. Também os filhos, conquanto aplaudissem o pai, responsável por aquele território mágico, esperavam que ele lhes apaziguasse o desconserto. O pai, porém, assumindo posição de timoneiro, pediu que subíssemos e tomássemos assento no vagão:

— Vai dar início a viagem.

Não éramos, no entanto, os primeiros, naqueles dias, a visitar o esqueleto. Quem nos precedera, querendo disfarçar o abandono, livrara o interior

39

da sujeira acumulada. À entrada, ao lado da porta arrancada, lia-se na tabuleta: "Maria Cebola". Mas, ante a partida iminente, acomodamo-nos nos bancos, a mãe entre os filhos menores. O pai apontava o horizonte.

— Daqui, do Brasil, iremos para Veneza.

E, enquanto consultava o papel em que traçara algumas linhas à guisa de mapa, havendo tido o cuidado de incluir no percurso outras cidades estrangeiras, provenientes todas de seu sonho, ele repetia os nomes. Alguns deles, para minha surpresa, que sempre estudara geografia com afinco, esperando um dia circular pelo mundo, não eram da Europa, se levássemos em conta a célebre cidade italiana atravessada pelos canais mencionada pelo pai. Ele, porém, sem pejo, indicara Cuzco, lá no Peru, em total desrespeito ao fato de estarmos ao nível do mar, com o Adriático ao lado. Dei-me conta também de que pouco lhe importava se os pedaços do mundo, acaso colados, resultassem em uma combinação grotesca, desde que em harmonia com os desregramentos da imaginação.

O trem do pai deu hipotética partida. A máquina, em movimento, era ruidosa e, segundo ele, sujava-nos de fuligem. O foguista, batizado de João, procedia de família havia muito no ofício, desde que as primeiras máquinas chegaram ao Brasil. E o pai,

A CAMISA DO MARIDO

como se estivesse lendo os anúncios vistos na paisagem, comprazia-se em acrescentar detalhes à fonte primária da narrativa, até o instante em que Pedro, o mais atrevido dos filhos, contestou-o. A voz, desafinada, a afirmar que, ao trazer o trem para o Brasil, como símbolo de modernização, dom Pedro II não poderia contratar a família do foguista, à época constituída de tropeiros cujas mulas civilizavam a zona da Mantiqueira com suas cargas preciosas.

O pai recriminou-o. Como ousava introduzir ao seu relato doses de um indesejado realismo? Se seguisse insistindo, o castigo seria privá-lo do encanto de conhecer o mundo sem gastar senão o que custara o lanche trazido pela mãe.

Para compensar a indelicadeza do irmão, fiz-lhe perguntas de seu agrado. Como qual seria a próxima parada e a que horas chegaríamos a Paris. O pai sorriu diante da filha, e ia respondendo com o que lhe vinha à cabeça, sem um juízo conclusivo. Não lhe importava introduzir lógica e consequência ao que contava. Tão somente pretendia seduzir a família. Assim, quanto mais detalhes adicionasse à paisagem, ora italiana, no caso agora francesa, mais estaria convencido de seus acertos. Pois a ideia de trazer-nos até aquelas lonjuras casava-se com o conceito de futuro que nos pretendia regalar.

Era comum confessar, em meio ao jantar, que desejava os filhos preparados para responder a qualquer estranho. Capazes de lhe dizer quem fora Domingos da Guia, Santos Dumont ou mesmo Cortez, que havia queimado as naus espanholas no litoral mexicano a fim de nenhum companheiro regressar ao velho continente. Com tal disposição, era natural que a viagem de trem, iniciada havia duas horas, nos levasse a um ponto do hemisfério de onde, tão logo chegássemos, desbravaríamos o cume do Himalaia. E, quanto mais o pai seguia falando, acentuava-se em seu rosto o prazer que sentia em perpetuar nos filhos o legado daquela narrativa após sua morte.

Olhei-o esforçando-me em quebrar os elos do encantamento que nos enlaçava. Não queria ser vítima da volatização verbal oriunda daquele homem que eu amava. Pretendia apenas guardar na retina seu espírito, entre negligente e altaneiro, que esplendia radioso naquele raro instante de sua vida e de sua aliança conjugal com a mãe, que se inclinou aos sonhos do marido para vê-lo triunfar junto à família. A fim de manter a concórdia, ela não hesitava em acatar que o trem se tornasse o veículo da felicidade. E como não haveria a mulher de agradecer a um sonho que, ao irmaná-los, levava-os a conhecer a Ponte dos Suspiros, em Veneza, local ideal para os esbirros assassinarem inocentes?

A CAMISA DO MARIDO

O pai redobrou a atenção, a partir do instante em que iniciávamos a segunda parte da viagem, próximos à bela e desesperada Praga. Talvez o trecho mais perigoso, pois cruzaríamos uma zona de conflito internacional. Chegara ao seu conhecimento haver ao longo do percurso granadas enterradas, prestes a explodir. Um simples pedregulho deslizando de uma encosta poderia causar danos, desequilibrar a paz mundial. Mas, se de fato o perigo recrudescera, em compensação, graças ao medo, que intensifica os sentimentos, cresceríamos como indivíduos.

O pai se exauria ao comandar os botões da locomotiva que arrastava a sequência de vagões, enquanto os filhos, com migalhas dos sanduíches nas comissuras dos lábios, ouviam-no descrever a paisagem carnívora, de arbustos cruéis que ora atravessávamos. Havia muito nos acostumáramos a sua habilidade narrativa, a como fertilizava as histórias oriundas de uma imaginação algumas vezes alimentada por fonte estrangeira, como agora, que divisávamos da janela do trem a famosa Bagdá. Ainda que cada palavra sua, que se prolongava, retardasse o regresso a um Brasil acanhado e desleal, centro nervoso das nossas angústias.

O irmão Pedro discordou das especulações familiares. Pretendia manter intacta a sua rebeldia na ânsia de desfazer seu vínculo com a realidade distorcida do progenitor. Assim, de repente, olhando a mãe, proclamou estar em crise com Deus, havendo escolhido aquela viagem de trem para tal confissão porque percebera que a visita ao Oriente Médio lhe fazia doer o coração. Havia muito julgava inoportuno endeusar as religiões que elegiam um só deus como panaceia de tudo. Melhor fazer como os gregos, que tinham inúmeros deuses como reserva, caso algum lhes falhasse. E, embora ele não desse preferência a determinada religião, há muito se encantara com o Cristo no Gólgota.

Ameaçava seguir com o despautério verbal, em visível competição com o pai, quando a mãe, em acirrada defesa do marido, o deteve. Não ousasse o filho, como um Édipo qualquer, interromper a sequência narrativa do chefe da família, que lhes falava, naquele momento, das muralhas circulares de uma Bagdá cercada pelo Tigre e pelo Eufrates, cujo bazar só se aquietava quando os minaretes convocavam para a reza.

O pai aceitou o fervor amoroso da mulher com quem compartia cama e imaginação, orgulhoso de uma família que educara com modéstia, amparado pela fantasia. Mesmo porque, o que mais haveria de lhes deixar como herança senão a capacidade de dispor do pensamento frágil e instável com que averiguar as oscilações do mundo?

A CAMISA DO MARIDO

Após o burburinho das frases que os levavam a visitar variadas cidades, na expectativa das próximas, que se avizinhavam, a mãe abria de novo a cesta do farnel. Persuadida de que seus manjares desenvolviam a loquacidade dos filhos, facilitava-lhes a crença no que o pai lhes contava, deixando-os propensos às mentiras das palavras.

A família era um tumulto no coração, pensei consternado. E, querendo testar minha confiança nos inventos do pai, avancei pelo corredor do vagão, amparando-me nos bancos de madeira. A velocidade que o maquinista João, fantasma do pai, imprimia ao trem, a ponto de temermos iminente descarrilamento, despenteava-me os cabelos, cobria-me a visão. O pai, contudo, indiferente ao esforço da filha de lhe confirmar as histórias, dizia ser aventureiro e cosmopolita o universo do trem, conquanto faltasse a esse meio de transporte uma moral de fundo religioso. Enquanto eu, que ainda não lera Thomas Mann, deveria sentir-me como Hans Castor ao chegar a Davos-Dorf após o trem vencer desfiladeiros e túneis.

Pobre pai. A caldeira de seu trem despejava fumaça tragada junto aos sanduíches. Segundo seu apetite verbal, em breve deixaríamos o hemisfério árabe para alcançar o deserto de Gobi, já a caminho de Pequim. Só que os pingos da chuva, no início descritos como gotas de prata, converteram-se de repente em um temporal despejando trovões ameaçadores.

O pai calou-se. O caçula dos filhos, no entanto, diante do volume de água que entrava pelo teto e pelas janelas, começou a gritar, vaticinando a catástrofe iminente. Para corroborar suas palavras, o vento sacudia o vagão, ameaçando derrubá-lo. O perigo recrudescia, e o pai nada podia fazer. Sua imaginação, que não comportava uma ação prática, fraquejava diante das leis da sobrevivência.

Foi quando a mãe ordenou o imediato abandono da nave. E que se acautelassem todos, pois o último degrau do vagão, afundado na água, impedia que se visse onde colocar os pés. Com ela à frente, seguíamos os trilhos cobertos pelos detritos da enxurrada, enquanto os irmãos, enlaçados pelo nó do afeto, ajudavam-se mutuamente, atrás vindo o pai, que, na pressa de sair, percebeu só em casa que esquecera a cesta sobre o banco de madeira.

Na sala, após vencer os perigos, nos abraçávamos desgrenhados e sujos. O próprio pai, reconfortado pela visão do lar, restabelecia os tecidos da coragem que lhe faltara durante o temporal. Sentado na banqueta da cozinha, sorvia o café recém-passado.

A CAMISA DO MARIDO

Já liberto dos percalços, apegava-se às lembranças que imprimira no coração da família. Afinal, fora seu empenho legar-nos o fardo da memória. Não suportava que os filhos, após sua morte, apagassem as palavras de arroubo com que a fantasia os suprira em todos aqueles anos. Adivinhava ele a erosão dos dias na memória humana. O pouco que sobrava da experiência vivida.

Passados agora tantos anos, não sei avaliar o que persiste dele em mim. Ignoro se os irmãos, dispersos pelo mundo, ainda evocam o pai. Sigo pensando nele, e nem assim lhe devolvo nacos de vida. Não tenho seu retrato na parede, e seu rosto, no único retrato que me restou, esmaeceu. Ele e a mãe são imprecisos, simples estrangeiros. Às vezes, sozinha no escritório, contemplo a foto de reluzente trem inglês na iminência de partir para o inferno. Estremeço. Falta-me a linguagem do coração, de seus temerários afluentes. Penso ver o pai na janela, a despedir-se dos filhos. Será ele o passageiro que busco no vagão? Acaso é minha mãe a mulher ao seu lado, ou simples quimera? Aceno-lhe. Registro certos acordes. A fumaça do trem me cega. Choro pelos meus mortos.

DULCINEIA

A asturiana não vira Sancho, escondido atrás da pilha de feno, a acompanhar seu solilóquio. Refugiada no estábulo, conversava com as vacas. Seu timbre, em geral metálico, oscilava de volume, dificultando a audição. As palavras da mulher chegavam ao escudeiro pela metade.

No início, a confissão da taberneira, cujas proclamas raivosas Sancho custava traduzir, não tinha destinatário. Até ele identificar, enquanto abocanhava o pão e o toucinho, que os desabafos de Maritornes acusavam o fidalgo de ser uma triste figura, de *lanza en astillero, de adaga antigua, montado no rocín flaco*, cujo aspecto, ridículo, qualquer mulher repudiaria.

Sancho estranhou que a asturiana, sem motivo aparente, reclamasse do cavaleiro. Uma admoestação que talvez se devesse ao fato do fidalgo, tão

A CAMISA DO MARIDO

logo entrado na taberna, com ele, atribuir à mulher, vendo-lhe o rosto, o nome de Dulcineia, que ela prontamente refutou.

— Sou asturiana de nascimento e me chamo Maritornes.

Seu protesto, porém, não foi levado em conta, e ele insistia em chamá-la de Dulcineia, uma insolência que a feriu de tal forma que irrompeu em prantos, ao constatar a crueldade do mundo. Indefesa, sem um único homem a defendê-la, refugiou-se nos fundos da taberna, entre as vacas.

No estábulo, sua voz ora se reduzia, impedindo que Sancho a ouvisse, ora recrudescia, acossada por crescentes dúvidas. Ponderava aos poucos se acaso o fidalgo a ofendera diante de todos por padecer dos dissabores oriundos da armadura, que lhe espetava o corpo ossudo. Exigia saber também, no prolongado solilóquio, se o nome com que o cavaleiro a designara, Dulcineia, não seria o de uma vagabunda como ela. E, confiando sua sina aos animais, pensava em quem seria ele para teimar em fazer dela quem não era.

— Afinal, quem sou?

Mas, ao questionar, furiosa, a própria origem, corria o risco de obter uma resposta que revelasse ser filha bastarda de algum nobre que, de passagem pela aldeia, encantara-se pela mãe a ponto de atraí-la para o celeiro, onde, sobre a pilha do feno, copularam em estado de exaltação. Como consequência, a mãe, que nunca engravidara do marido, deu à luz a menina, sem jamais confessar à filha, mesmo no leito de morte, não ser o marido o pai, mas um nobre desgraçado, de alta linhagem, que a seduzira sem compensá-la ao menos com algumas moedas de ouro, a fim de precavê-la contra os infortúnios do destino, motivo pelo qual lhe tocara, como descendente da miséria, depender dos favores alheios para sobreviver.

— Como corresponder aos devaneios do cavaleiro? Será essa Dulcineia digna dele?

Enfastiado do monólogo incontido da mulher, Sancho desligara-se do estábulo e refazia a cena de quando o amo e ele, ao entrarem na taberna, atraíram a atenção de ambulantes e camponeses, de como o fidalgo, de aspecto pálido, sem abandonar lança e espada, apoiou-se em uma mesa arrinconada, impedido de se sentar porque a armadura lhe constringia o corpo. Socorrido por Sancho, instou-o a acompanhá-lo na refeição frugal, sem observar que a asturiana lhe servia o vinho tinto, de boa cepa, como enfatizou ela, na jarra de barro. Foi quando o fidalgo, atraído pelo timbre da jovem, examinou seu rosto.

A CAMISA DO MARIDO

— Ajude-me, Sancho.

Dizia tentando se pôr de pé.

— É ela, Dulcineia.

E, ao fazer a curvatura de saudação, desequilibrou-se, quase indo ao chão, não fora o apoio do escudeiro.

— Minha dama senhora...

Ele disse, comovido, faltando-lhe palavras com que tecer a harmonia que emanava da jovem que saltara de um quadro pintado por ilustre artista da corte, desatento aos risos que despertava nos demais.

Na sua mansuetude, as vacas seguiam mastigando a erva, enquanto ela, em uma sucessão de gestos raivosos, esfregou o próprio sexo como a escavar o interior do corpo.

— Ele me ridicularizou, fez de mim uma mulher de estirpe. Maldito seja.

Sancho se envergonhou com a grosseria da mulher, que contrastava com suas feições finas, enquanto ela agora simulava ter no braço a paleta de um pintor que, nervoso, misturava as tintas à procura de um tom capaz de realçar os traços perfeitos de Dulcineia, que Maritornes encarnava.

— Se sou bela, como afirma, por que é ele o único homem a me admirar?

51

NÉLIDA PIÑON

E, pedindo compreensão às vacas, sempre amigas, acrescentou:

— Já viram tal grau de loucura?

Sancho confiava na inocência do fidalgo, que encaminhara à mulher palavras graciosas com a intenção de enaltecê-la, de lhe fazer bem, de provar que lhe descobrira a procedência nobre em meio à multidão. Certa vez, aliás, no meio da campina, levado pelo impulso da brisa, quase na vizinhança dos moinhos de vento, o amo sem mais proclamara que só o gênero lírico era compatível com as damas de alta envergadura. Ele era assim, imprevisível como o luminoso amanhecer em seguida à tormenta.

A asturiana tornara-se de repente introspectiva. Forçada pela solidão do solilóquio e pela meia-luz do estábulo, invadia o passado recente do cavaleiro, que correspondia a sua recente chegada à taberna, ansiosa por se apossar das paisagens onde ele estivera, das palavras que pronunciara, de tudo o que o constituía e o trouxera até ela. Empenhada assim em recordar, esmiuçou o instante em que o fidalgo, seguido do criado cuja gordura contrastava com sua magreza, sentou-se à mesa distante de todos. E examinou o momento em que, ao verter vinho em sua caneca, ouvira-o falar sobre ela, sem entender no início que lhe dirigia loas sem cobrar em troca favores, como

A CAMISA DO MARIDO

arrastá-la a um canto da taberna e meter-se entre suas coxas, como os demais o faziam mesmo contra a sua vontade. Então, elevando a voz, disse:

— Forçando-me a lhe dizer que não quero macho em cima de mim.

Segundo alguns detalhes que captara, quis Sancho defender o cavaleiro de bela figura moral, que jamais pretendeu mortificá-la. Se a mulher soubesse de sua presença no estábulo, teria lhe afirmado que aquele cavaleiro da Mancha, ao designá-la mulher de seus devaneios, simplesmente reconhecia as vicissitudes que padecera ela naquele meio inóspito. Por conseguinte, ofertara-lhe a oportunidade de sonhar, de pleitear o impossível.

Os sentimentos de Maritornes oscilavam. Ora desconfiava do cavaleiro, ora o enaltecia. Indagava-se sobre se ele teria mesmo o dom de fazer dela outra mulher, de sair em sua defesa quando o mundo se opunha a ela e nada lhe ofertava? Mas o que poderia de fato pleitear que merecesse ser seu?

O súbito silêncio de Maritornes incomodou o escudeiro, ainda que se ressentisse com a ausência de um interlocutor que acatasse suas respostas. Ansioso, pois, de também dialogar consigo mesmo, acionou a memória, que lhe trouxe a cena de quando ambos entraram na taberna naquela tarde, dom

Quixote agindo como se algum castelão o acolhesse, cedendo-lhe o castelo para repousar da caminhada. Uma cortesia habitual entre homens de boa vontade e que lisonjeava o exausto cavalheiro. Estimulado assim pelo espírito onírico que brotava do seu ser, ele acomodou-se à mesa até surpreender-se com a presença de Dulcineia, de Toboso, a servir-lhe o vinho como se fora uma taberneira.

Maritornes sofria por contar unicamente com a companhia das vacas. Sentia-se autorizada a reclamar de um cavaleiro que, tão logo entrara na taberna, curvado pelo peso da lança, trouxera-lhe desgraça. Com que direito, acomodado em seu assento, atribuía-lhe um nome que não era o seu e assegurava haver ela nascido na localidade de Toboso? Talvez o abuso do nobre se devesse ao peso da armadura, da lança, da espada e do elmo, que o faziam sofrer. Contudo, tal ultraje, por parte do fidalgo, corrompia-a com a febre de uma ilusão que não a deixava ser quem sempre fora até a vinda do homem.

— Quem ele pensa ser para que eu me envergonhe da sopa de nabos, hortaliças e toucinho com que a mãe saciava a fome dos filhos? E por que quer me tornar uma outra mulher, diferente de quando chegou à taberna?

A CAMISA DO MARIDO

Sancho voltou a interessar-se pela asturiana a tempo de ouvi-la dirigir a crítica para ele próprio, censurando-lhe a pança, sobre quem dizia comer fazendo ruído, os farelos caindo das comissuras dos lábios.

— É um camponês como eu, rude e sem modos.

A barriga redonda não o ofendia. Mas defendia, para ele mesmo, a arte do cavaleiro que recitava no descampado, em sintonia com um público que não existia. Sem quem o ouvisse, abstraía-se de qualquer comentário sarcástico, para se concentrar em um mundo no qual atuavam todos na expectativa de um desfecho nem sempre favorável.

Devia defendê-lo em que circunstância fosse. Como quando, ao expressarem curiosidade pelo ofício do fidalgo, esquivava-se de mencionar ser ele um notário de consideráveis bens, para assegurar tratar-se de um simples saltimbanco que percorria a meseta castelhana sem vínculos com as caravanas que vagavam a esmo pelas aldeias. Uma gente que, destituída de pudor, cagava e copulava a céu aberto, cuja conduta destoava dos rígidos costumes do cavalheiro. Às vezes dom Quixote, em meio à horda malcheirosa de clérigos, comerciantes, aldeões, putas, que pagavam o espetáculo com chouriço, ovos, galinhas, broa de milho, via os atores atuando nos tablados, vestidos de trajes arlequinescos gastos, enquanto alternavam mímica com palavras cedidas por um goiardo.

Tomado por tais elucubrações, Sancho, encolhido no chão para não ser visto, não podia explicitar à asturiana o significado de ser um saltimbanco nos tempos em que viviam. Temia que a mulher não se apenasse desses seres que representavam o teatro dos miseráveis, enquanto ela insistia em ofendê-lo:

— Esse gordo sabe que não passo de uma vagabunda sem eira e beira.

Sancho se condoía das mulheres. Algo a esposa lhe ensinara, vendo-a na labuta, parindo, alimentando os filhos com escassas moedas. Longe agora de casa, reconhecia que a maltratara, como se a função de cuidar da humanidade carecesse de valor. Assim, apiedou-se da asturiana, que trabalhava praticamente em troca de um prato de comida e de moradia, e cujo sexo era um receptáculo da sujeira humana.

Sancho estava certo. Maritornes sofria de todas as privações. Ao comer às pressas, temendo que lhe roubassem o prato de comida, lambuzava o rosto de gordura. Tal era a fome que os olhos dilatavam diante do repasto que lhe salvava a vida. Via-se obrigada a agradecer ao amo de quem sua sorte dependia. De repente, enfileirou nova sequência de palavras chulas contra Sancho:

A CAMISA DO MARIDO

— Pobre coitado, julga-se importante só porque serve a um cavalheiro. Estão os dois amancebados pela mentira.

Agora falava do fidalgo. Não o poupava. Lembrou-se da vontade que teve, ainda na taberna, de acusá-lo de roubar sua vida. Não pretendia enganá-lo, mas soubesse de antemão que refutava suas promessas. Podia ser uma mulher iletrada, mas tinha a liberdade de ser grosseira com ele.

Ainda os três na taberna, em torno da mesa, antes de ela se refugiar no estábulo, Maritornes realçou a própria insignificância na expectativa do escudeiro dissuadir o amo de prolongar seu discurso laudatório em função de sua beleza. Jamais pretendera sujeitar-se a um profeta louco disposto a convencê-la de que poria a seu alcance o mundo que ele inventara.

Há muito Sancho sabia que o amo reverenciava Feliciano, o autor para quem o universo da ilusão era mais real que o real. Às vezes, confrontado com um quadro que o inquietava, a ponto de seu juízo fraquejar, as frases de Feliciano supriam-no com condimentos indispensáveis para prosseguir. Ajudavam-no a dar guarida a algum mistério aninhado em sua mente, sobretudo quando o fidalgo pretendia sufragar verdades e delírios que os vizinhos da aldeia, os clérigos, a própria sobrinha, contando com sua saúde debilitada, questionavam.

Embora Sancho o servisse já há algum tempo, observou que nem sempre o amo sujeitava-se a essa gente, às vezes até preferindo acatar as razões de seu serviçal, o que motivava o escudeiro a opinar sempre que julgava necessário. Afinal, por ele, abandonara a família, a pretexto de levar ao antigo notário certa dose de sensatez.

Enquanto estivera na taberna, ao lado de dom Quixote, pouco antes de seguir para o estábulo, a asturiana ofendeu o cavalheiro por considerá-la uma Dulcineia rediviva.

— E por que me chama assim, senhor? Acaso os nomes que os fidalgos inventam para suas damas são uma forma de sublinhar o desejo que têm de copular com elas?

O fidalgo insistia em chamá-la de Dulcineia e contava com a mirada benevolente do escudeiro para não deixar a mulher em paz. Sancho, por sua vez, sem receber atenção, não tinha como dissuadir o amo, que dependia da própria loucura para sonhar.

Maritornes, vendo-se sem apoio, quis denegrir amo e escudeiro ao mesmo tempo:

— Acaso são uns desertores, fugiram de casa sem ao menos se despedir?

A CAMISA DO MARIDO

A acusação doeu a Sancho. Não fora fácil convencer a mulher de que ia atrás da fortuna, e não arrastado pelo sonho alheio. Porque ela não se conformava com que abandonasse os filhos em troca da promessa de vir a ser governador da Ínsula Barataria, uma ilha de existência incerta, pois, conquanto não sendo versada em geografia, conhecia alguns locais da Mancha. Aquele, porém, brotara do cérebro insano do notário.

Já de saída, no batente da porta, a esposa vaticinara:

— São iguais. Um é magro e o outro é gordo. Um é sensato de tanto comer batata, o outro, sem juízo, alimenta-se de brisa.

Sancho de nada sabia de simetria, de porções idênticas, ou de almas gêmeas. Reconhecia, contudo, ter um bom senso, que faltava ao amo. Mas, juntos, aperfeiçoavam a aventura pela Mancha.

Ao crer-se sozinha no estábulo, Maritornes fez gestos vagos, correspondentes a certos sonhos cuja natureza a assombrava e que nunca soubera interpretar a seu favor. Nenhum deles propiciara-lhe prazer. Ao contrário, distantes da realidade, defraudavam-na. Assim, o que um sonho pudesse significar não a levaria a renunciar à condição de camponesa para se transformar na Dulcineia venerada pelo cavalheiro.

— Estarei me tornando o modelo que o fidalgo quer de mim?

Sussurrando, com a voz de novo inaudível, Sancho cogitava que palavras ela teria dito para que doída melancolia estampasse seu rosto. Acaso, após medir as vantagens de conviver com o mundo da ilusão, parecera-lhe oportuno ser a donzela forjada pela imaginação do amo? Decidido a interromper o monólogo da mulher, enquanto cobrava certo protagonismo, Sancho rastejou até a porta de entrada, se pôs de pé e simulou ingressar no estábulo.

— Agora que está aqui, Sancho, fale se me convém mudar meu nome? Passar a ser Dulcineia, como seu amo me propõe?

Maritornes não admitia que a raiz do seu desgosto não estivesse no cavaleiro, mas na vida desgraçada que os bêbados da taverna, de unhas sujas, lhe impunham, ou em não expressar seu apreço pela coragem de dom Quixote em não retrucar aos risos dos camponeses, sem que sua aparente apatia significasse que se rendera às grosserias daqueles homens. Encerrada no estábulo, junto às vacas que a apascentavam, percebia que tudo no cavaleiro de lança na mão transcendia à poesia, enquanto lhe oferecia uma arte que, incompatível com sua existência, ela nunca supusera existir.

A CAMISA DO MARIDO

Pareceu-lhe apropriado que Sancho levasse ao fidalgo, ora na taberna, certa dose de realismo, sem lhe extrair, porém, o que de melhor guardava no coração, seu feudo manchego, aquela espécie de fantasia graças à qual ele assumia ser quem quisesse. Um delírio essencial ao seu ser, que lhe afiançava existir um mundo construído segundo suas medidas.

Compungida com o esforço do cavalheiro em convertê-la em uma dama com traje de prata, disse:

— De tão galante, só falta dom Quixote me coroar.

Sancho se inquietou. Como agir? Acaso defender o cavalheiro, ou associar-se aos reclamos da mulher? Afinal, a distração do amo, embora um homem de bem, levava-o a emitir certos juízos sem medir as consequências. Mas convinha Maritornes saber que Dulcineia só existia no coração dele, e não na mente do sr. Quijana, seu nome de batismo, sendo os dois uma única pessoa?

Na tentativa de reverter uma situação melindrosa, afiançou à mulher não ser ela a dama a que o fidalgo se referia, não havendo, portanto, caído nas malhas da ilusão que o cavaleiro propagava. Uma malha que os envolvia por ser mais fácil servir à ilusão que à realidade. Ele mesmo, conquanto modesto escudeiro, desde que deixara de tomar a sopa de nabos feita

61

pela mulher, questionava-se se estaria apresentando sinais de loucura.

— A loucura é contagiante. Em todo caso, quem é puta tem garantias. Não a deixam mudar de ofício. Diferentemente das princesas e damas, que são escassas e não andam à solta pelo mundo. E por isso, ao vê-las dependuradas nos balcões dos palácios, os cavaleiros tecem intermináveis sonhos.

Empenhado em aliviar a tensão da mulher, Sancho repartia os refrãos que o amo espargia.

— Ele costuma dizer que somos o que decidamos ser. Desse modo, é salutar seguir as pegadas dos sonhos.

Pouco antes de iniciarem a viagem, o fidalgo admitiu que o amor por Dulcineia viera de longe, embora mal a visse, por viver em Toboso. Um amor que Sancho deduziu ser proibido, ao ser ela casada, um obstáculo para a ilibada reputação do cavaleiro.

— Um dilema para ele. Pois como lutar por ela incitando-a a trair o marido? Finalmente, dom Quixote soube que a dama referida jurara manter-se virgem diante do altar. Um voto penoso para um servidor da fé católica como ele.

O amo nascera para venerar as mulheres recatadas. De Dulcineia, dizia maravilhas: *"Luego si es de*

A CAMISA DO MARIDO

esencia de todo caballero andante haya de ser enamorado."
E, para o clérigo da aldeia, admitira: *"Su nombre es Dulcinea: su patria, el Toboso, un lugar de la Mancha."*

Certas confissões do fidalgo confundiam o entendimento de Sancho, como quando lhe disse que fora dotado do livre-arbítrio, um atributo com o qual elegia entre o bem e o mal, e ainda com a liberdade de narrar uma história a que imprimia a versão preferida desde que respeitasse *"un punto de vista de la verdad"* narrativa. Mediante esses acordos, dom Quixote acolhia as penas de amor, os acertos, os desacertos, as mentiras desconcertantes.

Aliás, a dama do cavaleiro ganhara na pia batismal o nome de Aldonza Lorenzo, mas, por ser ele leitor de livros de cavalaria, acostumado a heróis como Amadis de Gaula, temeu que tal nome fosse incompatível com o arrebato amoroso. Assim, ao substituir Aldonza por Dulcineia e Quijana por Quixote, e ao nomear o alazão por Rocinante, deu vida a seus sonhos, ajustou o mundo da Mancha à sua medida.

O cavaleiro amava as mulheres sem se perder no turbilhão da luxúria. Era-lhe suficiente mantê-las no cume da montanha, acima do nível do mar, onde lhes oferecia seus delírios, pois lhe era fácil participar de um enredo tecido pelos torneios de cavalaria, deleitar-se com a sucessão de disparates concentrados em certas páginas literárias. Como aquela, altamente inspirada: *"La razón de la sinrazón que a mi razón se hace, de tal manera mi razón enflaquece, que con razón me quejo de la vuestra fermosura"*

Feliciano, autor dessas perfeições verbais, em seu esforço de julgar as ações humanas, de aprimorar o entendimento que tinha da natureza dos homens, teria bom motivo para escrever dessa forma. O próprio Sancho, sob a influência do cavalheiro, tentava compreender o que unia os seres, como o amor que dom Quixote dedicava a Dulcineia. Mas nunca fora fácil acompanhar as trilhas do coração. O fato é que, se tal dama não existisse, não teria ele desenvolvido a habilidade de iludir-se.

Graças à leitura, o cavaleiro aprendera que o amor ensejava a inventar damas como Dulcineia, cujas virtudes comparavam-se às de uma princesa da corte. E, para forjar a fogo semelhante criatura, pautara-se nos heróis que o precederam nessa rota. De seus *"teatros de las comedias"*, surgiram as Amarilis, as Filis, as Galatéas, figuras que, não sendo de carne e osso, cercavam-se de mistério e de volúpia, e que enriqueciam o imaginário amoroso.

— Se aceito ser Dulcineia, quem fica em meu lugar? O que vai ocorrer com Maritornes?

A CAMISA DO MARIDO

Ao assumir aos poucos a identidade de Dulcineia, Maritornes confirmava os temores de Sancho, que não sabia como restabelecer a verdade com o intuito de liberá-la do peso de ser a dama de Toboso, de fazer parte do mundo idealizado de Quixote. Como moderar seus sentimentos recentes?

Ela reagiu ao desconsolado Sancho. Percebera de repente que já não lhe podiam extorquir o nome de Dulcineia. Que, pois, não prosseguisse com qualquer iniciativa. Foi tal sua altivez que o escudeiro recuou. Faltava-lhe o engenho do mestre, o de fazer crer à mulher ser ela a réstia de luz entrevista em meio à vigília. E recordou o que a sobrinha dissera ao tio Quijana, já os dois montados na garupa dos animais:

— O sonho é daninho, antepõe-se à realidade.

Naquele dia, porém, ao chegarem à taberna, horas antes, nada havia que esperar do cavaleiro frágil e faminto. Contudo, sentado à mesa, após conhecer Maritornes, a quem chamava de Dulcineia, o fidalgo voltara a delirar. Fortalecido pela imagem da mulher, não tinha pressa em que Sancho retornasse à mesa. O escudeiro, porém, dando-se conta do tempo que consumira no estábulo ao lado da taberneira, temeu de repente a ascendência crescente de Maritornes sobre ele e, pressentindo o perigo que corria, precipitou-se de volta à taberna, seguido de Maritornes.

Sentado na mesma cadeira, o cavaleiro agia como se algo grave o atingira, talvez um mal de coração, cuja causa Sancho não atinava, como se, "*com estas razones, perdiera el pobre caballero el juicio*". Mas seria por darem-no como louco só por acreditar nas histórias que lera?

Indagou de que o amo carecia e ouviu do fidalgo:

— Nenhuma leitura é daninha. Nenhuma leitura é daninha. Nenhuma leitura é daninha.

Os ruídos da taberna o perturbavam. Agia como um sonâmbulo a quem faltasse discernimento para afugentar da memória as passagens dos livros de cavalaria que traziam o veneno do conhecimento. A figura de Feliciano, célebre autor de Castela, cujo método era enaltecer a incoerência, lhe seguia causando assombro. Considerava-o um gênio, sobretudo por não entender o que ele escrevia. Com "*afición y gusto*", dom Quixote repetia suas sentenças: "*Los altos cielos que de vuestra divinidad divinamente con las estrellas os fortifican, y os hacen merecedora del merecimento que merece la vuestra grandeza.*"

Ao ouvir o recitativo, o escudeiro pouco entendia de um teorema sob forma de palavras. De como seria possível acatar um narrador que, em obediência ao espírito da aventura, aconselhava-o a aceitar suas artimanhas. Mas, para o fidalgo, Feliciano era um

A CAMISA DO MARIDO

arauto incumbido de transmitir a mensagem que o rei lhe confiara, reservando-se a prerrogativa de desfigurá-la.

Sob o olhar de admiração de Maritornes, o fidalgo enfatizou:

— Não duvide da história que não cessa de narrar. São as melhores.

No entanto, a despeito do cavaleiro apontar a noção de ridículo que gravitava em torno do humano, Sancho recordou que, no passado, ainda como Quijana, ele obedecera ao decoro imposto pela Igreja e pela administração pública. E que só na iminência de se tornar dom Quixote recriminou quem assumisse ser um personagem talhado pelo bom senso e pela moral canônica.

Aceitara mais vinho e esvaziara a taça. Com o olhar fixo na asturiana, como se a amasse, convocou Sancho a transmitir a Dulcineia, tão próxima, que personagem não é uma pessoa, mas um conjunto de seres costurados entre si que, ao se olharem no espelho, aparentam ser um só.

Como consequência de seu pensamento, o fidalgo lembrou-se do vizinho que o ofendera ao lhe afirmar que nem o grego Aristóteles desvendaria a trama de Feliciano, mesmo vindo ao mundo com tal propósito.

67

Maritornes reteve a mão do fidalgo entre as suas. Tentou uma carícia. Havia a promessa de jamais o abandonar. Não surtiram, pois, efeito as advertências de Sancho para ele desistir de ser Dulcineia. Atenta à tristeza do cavaleiro, ela oferecia-se para curá-lo. Em troca, que renovasse a cada noite a ânsia pela beleza que a assaltara. Como tinha ele o dom da poesia, seguisse esgrimindo as palavras que, por si só, encarnavam a beleza a que ela aspirava. Só assim deixaria de ser uma taberneira para se tornar uma castelã que domina as regras que emulam o sonho e expulsam as deformidades da terra. Além do mais, percebera que o amor do fidalgo por Dulcineia, vago e melífluo, abarcava ela e todas as mulheres. Um sentimento que, não se destinando a uma criatura palpável, carecia de ossos e medula. Uma fantasia desprovida de corpo.

Sussurrou para Sancho, aproveitando-se da distração do fidalgo:

— O amor do cavaleiro é solitário, mas me convém. Não leva a donzela para a cama. Só enxerga a sombra de quem ama.

Pleiteava espairecer, sob o céu aberto da Mancha, na companhia do cavaleiro, a fim de testar a força que emanava de sua ilusão recente. Ao seu lado, esqueceria os maus-tratos sofridos em meio às esca-

A CAMISA DO MARIDO

ramuças e viveria o apogeu da beleza, da poesia, da ilusão. Queria enamorar-se do novo, uma decisão de tal magnitude que a irmanaria ao cavaleiro e a sujeitaria ao interior da verdade que existia, segundo ele, como forma possível de sonhar.

O escudeiro temeu as consequências de tal decisão. Acaso lhe convinha essa espécie de ilusão, que faria da mulher uma princesa entregue à tutela do fidalgo? Não estariam ambos, mulher e fidalgo, destinados ao malogro? Talvez fosse agora tarde para infundir ao casal um realismo que primeiro doía e, em seguida, matava? O que fazer para ambos renunciarem a uma viagem destinada à danação?

Apegada, porém, à ilusória verdade que o fidalgo lhe dizia ao ouvido existir, Maritornes escolheu a ilusão em detrimento da realidade. Ser livre na pobreza era melhor que ser escrava da lógica da riqueza. A partir daquele instante, portanto, que não lhe banissem a fantasia. Passaria a ser uma mulher continuamente inventada pelo cavaleiro, que lhe forneceria o sentimento da imortalidade.

— Sigamos, mestre. Tomemos o caminho antes que escureça. Sei por onde conduzi-los.

Desapareceu por uns instantes, para regressar com uma trouxa que trazia seus pertences. Carregava a miséria, mas tinha esperança. Os dois homens, seguidos pela mulher, cruzaram a porta. A luz de fora contrastava com o interior da taberna. O estaleiro não deteve Maritornes.

— O sol vai logo se pôr, disse dom Quixote, já montando o Rocinante, enquanto Sancho cedia o jumento para Maritornes, a quem passara a chamar de Dulcineia. E, por ordem do amo, deram início à marcha. E, embora a mulher mal os conhecesse, entregou-lhes a sorte. Nada viria a ser pior do que aquilo vivido até então, e levava de vantagem ouvir o fidalgo chamando-a de Dulcineia, de Toboso, com uma suavidade que desconhecera existir.

Sancho não sofria com as adversidades. Intuía estarem chegando ao fim da história. Se perdera para sempre o título de governador da Ínsula Barataria, a alma em troca crescera:

— Querem pão?, disse Maritornes, retirando da trouxa a broa de milho.

A MULHER DO PAI

Sou vítima das minhas ilusões. Não ouso ir pelo mundo para cobrá-las. Por onde sigo, em geral em torno da fazenda, ou até o bar da vila vizinha, levo o nome do desterro que se chama Ana, mulher do meu pai. E o pai é o feitor, com chibata na mão.

O pai era uma fortaleza. Tinha gosto em castigar quem fosse. Sua força advinha de não sucumbir diante da adversidade. Gostava de contar histórias em que fora de certo modo herói e protagonista. Ninguém lhe podia disputar a liderança. Só o avô, que lhe dera surras enquanto crescia. Os enredos espinhosos ele disfarçava com falsas gentilezas, que nunca as teve, pois era grosseiro quando se referia ao sexo, mas sempre disposto a enrolar-se no manto da mentira, para provar que o seu membro era maior que o de todos e não havia como reagir a sua avidez.

Algumas vezes teria ido para o xadrez, se o delegado não fora amigo e não o temesse. Éramos donos de metade das terras que constituíam o município. Metade fora da família do avô, e os outros pedaços, incorporados por meio dos vínculos matrimoniais.

— Desse jeito vamos ser donos do Brasil, dizia o avô, sob os aplausos de uma família que não me queria próximo, como se não tivessem podido gerar esse corpo de homem que se arrastava envergonhado pelas paredes da casa, como uma sombra.

Mas seria eu tão feio assim que não pudessem me querer? Ainda hoje ignoro se as verdades proclamadas a meu respeito provinham da invenção ou do ódio que o pai tinha por eu não ter morrido no lugar do seu primogênito, herdeiro de seus bens e da sua crueldade.

Conformado, eu me fixava na linha do horizonte, onde parecia ver um barco prestes a se acercar da costa, trazendo em seu bojo o tesouro das minhas escassas certezas. Um barco que não passava de um touro guardado no curral para reprodução. O mar estava longe, e nunca eu o alcançaria.

A macheza do pai, que disputava com o touro Teseu a eficácia de penetrar nas vacas, sobrepunha-se a minha fragilidade. Brandia qualquer arma à mão contra o filho, servindo até a faca da mesa, como se, em vez

A CAMISA DO MARIDO

de cortar o bife, me apunhalasse. Acreditava ser capaz de me esquartejar sem consequências, pelo prazer de testar minha valentia. Eu não saberia me defender.

Enquanto o avô vivia, proibia que ele avançasse um palmo que fosse em suas propriedades. E lhe dizia:

— Para herdar meus bens, mate-me primeiro.

Os dois homens se olhavam aguardando a morte do outro, de quem piscasse primeiro sem resistir à mirada assassina.

Na solidão do quarto, eu padecia. Meu Deus, de que família me originei? Invejava o vigor daqueles machos que castigavam os adversários como parte da rotina, na crença de que, no futuro, eu faria o mesmo.

Na ausência do avô, que percorria o campo a cavalo, o pai descontava em mim o que a vida ainda não lhe dera. Tinha horror da mulher, que era minha mãe, embora o pacto estabelecido entre eles o impedisse de expulsá-la da casa.

Às vezes, da varanda, a voz rouca fazia-se ouvir do outro lado da casa, onde eu me escondia, enquanto me assinalava a estrada para nunca mais voltar, mesmo sabendo de antemão que o meu único abrigo era o quarto.

— Fuja, filho, da minha miséria.

A casa parecia destelhar. Era a tempestade. E, como não tinha onde me abrigar, eu fugia como um cego esbarrando contra as árvores e ficava horas longe. Minha esperança era que o avô, movido pela piedade, me trouxesse de volta. Ele, então, fazia-me sentar à mesa, e que me servissem um prato cheio. Era seu comando. Agia em oposição ao filho, que não ousava contestar sua autoridade.

O avô era meu consolo. Talvez reconhecesse ser eu vítima de alguma injustiça que ele próprio teria sofrido na infância, na cadeia de violência daquela família. Afinal, não se eximia de culpa, pois fora ele quem transmitira aos seus descendentes a violência que julgava indispensável a fim de preservar as terras conquistadas com tanto empenho.

Disse-me um dia, como não me tivesse ao lado:

— É assim a família: dá alegria, mas também nos mata.

Orgulhava-se, contudo, da fatalidade de haver forjado uma dinastia que levava seu nome, incapaz ele agora de destruí-la. Eram muitos, incluindo os serviçais. Aquela gente em torno se proliferara como bicho. Era parte de seus bens.

O pai, ao me ver entrando, trazido pelo avô, nada falou. Não lhe cabia impedir que eu abastecesse o estômago. Eu vivia faminto. De comida e de afeto. E, já maior, sentado à mesa, anos depois da morte do avô, fingia não ver Ana, a mulher do pai. Certa

A CAMISA DO MARIDO

noite, no entanto, seu traje permitia que lhe visse o seio tremulando. E não era por mim que arfava, nem pelo pai.

Mas quem fez seu corpo tremular, mesmo em pensamento?

Saí apressado da mesa. Não entendia a dor de um sentimento que me lançava ao abismo. Acaso desejar ou pretender acariciar a mulher do pai era um crime? Como me perdoar, reagir? Matando o pai? No quarto, intuí que a punição seria perder a aventura secreta e dolorida de amar uma mulher que me fizesse homem mediante as delícias da terra, quando, despojado da covardia, ela me abençoaria com um gesto de piedade.

A verdade é que me tornara prisioneiro de uma paixão que me dava motivo para não abandonar a casa. Por conta de Ana, corria o risco de morrer no quarto, imerso em lamúrias. Como todos, nascia a cada dia, ora no outono, com as folhas a caírem, ora no verão, sujeito a seca. Em cada estação, a chama de uma falsa eternidade, vinda de Ana, não me ajudava a ganhar alento, a ser maior do que eu podia ser. Mal me situava na moldura do mundo quando apenas sabia ler, apenas sabia viver. O conhecimento que armazenei dos animais, dos lavradores, da terra, que era tão pouco, confundia-me, não me apaziguava. Ao contrário, a minha ignorância, por girar em torno de escassos elementos, confinava a minha sensibilidade. Quem me amaria iludida de amar um herói? Não era assim que devia ser o amor?

Aquela família, em vez de livros, tinha moedas no banco. O comando do avô era capitalizar os recursos. Perder dinheiro, ou desperdiçá-lo, era crime. A conta aumentava, e a questão era saber quanto cada qual herdaria.

Ana, que é mais letrada que o marido e os demais membros da casa, parece olhar-nos com desprezo, aguardando quem sabe a hora de atacar. Aceita viver com bárbaros, que somos nós, em troca de uma possível herança. Ao pegar e folhear um dos livros que incorporou aos bens do lugar, ela sorri. E me indago que elemento mágico tem um livro para lhe dar prazer. Logo Ana, que controla emoções, sobretudo na presença do marido.

Ao vê-lo, abandona o volume. O pai exige que dê provas de ele ser mais importante que o exemplar que tem nas mãos. São traços de autoritarismo que a degradam, mas que têm como objetivo degradar o filho. Seus gestos, porém, golpeiam a todos.

Repete, em meio a tantos equívocos, que seu filho era retardado, e não pelos escassos estudos, mas

A CAMISA DO MARIDO

pelo semblante de quem não sabe apreciar a vida que diz haver entre as pernas. E exige que Ana sorria, agradecida por desfrutar de seu corpo à noite

Essas sentenças me açoitam. Abandono a casa por algumas horas, sem me importar em passar fome. Sempre que me afasto, sou precavido, levo pão e banana. Tenho medo de sofrer o que seja. Se pudesse, levaria comigo o livro cujas páginas Ana lera. Precisava saber o que podia encantar um coração de mulher. E indago, curioso, sobre quem escreveu as histórias que os homens viveram, como as criaturas da minha casa. Acaso, quando escreve, sabe dos meus sentimentos por Ana, da paixão que não se extingue nem quando, na cama, sozinho, me satisfaço? Terá vivido a mesma desdita que eu? Ou, responsável pelo destino de um livro, é forçado a assimilar os infortúnios do personagem? E obrigado também a ser feliz, como ele, para descrever súbita euforia? O livro, então, não passa de uma confissão escrita, tentativa infrutífera de alcançar a verdade dos sentimentos?

Quando vivia, o avô me dava moedas:

— Vá se desafogar na casa das mulheres, filho. De outro jeito, enlouquece.

A mulher deixava que eu a penetrasse. Nunca disse a qualquer delas uma única palavra. Não havia afeto em meu corpo.

77

Não estou autorizado a dizer Ana, nem mesmo para mim. Um nome que parece ter vindo do céu. Assim os dias passam e nada faço. O pai tem razão de dizer que sou um parasita, sempre imerso no rodamoinho de um coração que sai pela boca. Sofro, então, uma espécie de asfixia. Pareço morrer. E tudo por conta da minha sorte, da violência com que fui sempre tratado.

Hoje, pela manhã, furei a casca de um ovo e vinguei-me chupando-lhe as entranhas como se bebesse o leite do seio de Ana que vi no sonho. Do ubre da vaca do estábulo do pai. Mas, quando o seio me aparece no sonho, é a vida que surge. O leite da mulher perturba. É o elixir enviado pelos deuses para enlouquecer os homens. A visão do pecado, no entanto, logo se extingue. Envergonho-me por haver ousado tanto. Parece-me ouvir o demônio a sussurrar que o fracasso é o sorriso do palhaço. O que significa?

Só me salvarei se fugir, nunca mais retornando ao lar que me deram. Da forma como vivo, sou escravo do pai que me espezinha jogando moedas na mesa, como se correspondesse ao meu trabalho. De nada vale amealhar essa paga, que é insuficiente. Só Ana é a fortuna, a sorte, o mistério da terra. Se não fora ela, eu inventaria uma outra que me

A CAMISA DO MARIDO

prometesse a felicidade. No entanto, Ana é incapaz de um gesto que me redima. Suspeito que é adversária do humano, dos que rezam, dos que no sonho tocam guitarra.

Suspeito que a mãe, incapaz de sonhar, desde o berço decretou que o filho sonhasse. Que fosse um vagabundo obrigado a ajustar-se aos reinos impossíveis e que desse prosseguimento a um possível ancestral que ousara também mergulhar nos sonhos.

Penso que a minha redenção seria matar o pai. Cumprir o ritual parricida que procede das cavernas. Há que suceder ao pai e ocupar seu lugar no leito. A lei é severa, mas é também justa. Pois, se tarda ele em morrer, alguém deve lhe chamar a atenção. Buscar uma justificativa. Com que direito ele vive a plenitude de seu corpo, esbravejando na cama com Ana, enquanto eu vivo de sobras, como um castrado? Foi ele quem me esmagou os testículos para perder o direito à herança.

O pai, apesar de mais velho, me excede, é melhor que eu. Faz de Ana sua mulher, e ela nem me olha. Concentra-se em seu esposo, que lhe paga a comida e o teto. Mas de onde ela veio? Diz-se que tem origem espúria, que veio de um bordel, das margens de um rio povoado de casebres miseráveis. O pai não revelou.

É um segredo que levará à sepultura. Por sua vez, ela silencia. Rouba das vizinhas abastadas os gestos que não aprendeu na pobreza. Sabe pôr a mesa, comandar a cozinha, gritar quando faz falta. Ai de quem a desobedece. Evoluiu como se tivesse agora educação. Prova são os livros que exibe, trazidos por ela.

Soube que consta no testamento paterno que a casa e as terras serão suas, como se o pai me houvesse deserdado. Deixa-me pouco e sem maior valor. E tão segura está Ana de seu futuro que já responde pela conta bancária, pelos pagamentos, pelos papéis, pela casa. Em tudo seu gosto predomina.

Teve sorte que o primogênito do pai, que ele amava, morreu antes de sua chegada. Foi-se em um desastre, não deixando descendência. O irmão a teria matado, caso Ana lhe disputasse a sucessão. Matava e mandava matar sem complacência. Sua fúria igualava-se à do pai, que decerto o temia. O pai, aliás, não se conformou que eu não tivesse morrido em seu lugar. Muitas vezes blasfemou contra Deus pela escolha equivocada. Acusou-me do crime de estar vivo. Mas com que direito?

Odeio o pai, e ele sabe. Também quer me matar, mas não concebe o gesto de enfiar a faca em meu peito. Em compensação, como um pirata, devota-se à pilhagem diária. Rouba pedaços meus e não os

A CAMISA DO MARIDO

devolve. E o faz por meios diversos, como me convencendo de que não estou à sua altura nem da mulher que trouxe para casa. E, se menciona Ana, é porque já percebeu que desejo a puta da mulher dele.

Essa Ana, cujo nome está na Bíblia, tem função divisória. Pelo que interpretei, coube-lhe costurar, com agulha grossa, o manto que abriga o Antigo e Novo Testamento. Pois, ao anunciar a Maria que ela estava prenhe do Salvador, ganhou inusitada importância. Mas esta Ana, a do pai, herdeira universal, não testemunhou a ira que, existente no Antigo Testamento, pauta ainda hoje nossos instintos.

Contrário ao que o pai afirma, não cursei faculdade, mas tenho leitura. Frequento a biblioteca da vila. Nunca houve entre nós um só doutor. Somos feitores, que castigam os seres desde a escravidão, e aprendemos a arrancar ouro da terra. Eu nem para isso sirvo. Não sei dar ordens ou decretar a miséria alheia sem piedade como o pai, que não reparte moedas, mas as guarda, para comprar Ana.

Lamurio igual ao profeta Jeremias, cuja história me interessou. Sou, porém, um homem a quem falta intensidade. O pau é meu inimigo. Não incendeia a carne de Ana. Vivo como um castrado alagado no próprio sangue. Que imagem sinistra tenho da minha vida sem sol.

Quantas vezes fugi, mas olhando sempre para trás, na espera de que viessem ao meu encalço. Nunca fiz falta, entretanto. Há pouco desapareci, e ninguém disse: onde está o João, que não veio almoçar ou jantar? Se a mãe vivesse, apesar do pai, teria tomado providências. Por isso escondi-me no estábulo, entre as vacas, quando morreu.

Nessa fuga, não busquei pouso. Esperei anoitecer. Dispensava a comiseração dos vizinhos, sabedores da inimizade entre pai e filho. Só que retornei três dias depois, sujo e faminto. Ao entrar na casa, ninguém me deu as boas-vindas. Só Maria, conosco desde a minha infância.

— Até que enfim, menino. Vai tomar banho, está fedendo.

O pai se regozijou com a morte da mãe, que o perseguia por conta de suas traições. Nem as empregadas ele respeitava, a ponto da mãe fiscalizar qualquer cria nova que chegasse, para afinal cedê-la em troca de ampliar seu poder na casa.

Ela não lhe dava trégua. Mal o pai pisava a soleira da porta, a mãe exigia os favores devidos. O convívio conjugal lhes fizera cúmplices. A aliança

A CAMISA DO MARIDO

perversa previa que ela comandasse a fortuna, e ele, desobrigado dos deveres conjugais, mantivesse as amantes ao seu alcance. Tal pacto dispensou-o de chorar em seu enterro.

O pai não anunciou a vinda de Ana. Limitou-se a pô-la no centro da sala, como um jarrão chinês, e dar-lhe, diante de todos, as chaves do cofre e das demais dependências. E não duvidassem ser ela sua mulher, a despeito de quem fosse. A partir daquela data, a casa pertencia à recém-chegada. Um ato, portanto, que dispensava esclarecimento. E, sem me mirar uma única vez, como se não existisse, tomou a mulher pelo braço, seguindo ambos para o quarto que pai e mãe ocuparam no passado, deles agora, desde aquela cerimônia.

Meu amor por Ana começou naquele dia. Um sentimento que oscilava segundo as estações. E que só sofreu abalo quando o pai, anos depois, foi encontrado morto, assassinado no leito onde parecia dormir. Cortaram-lhe a carótida com uma navalha, que desapareceu no afã de se apagar qualquer vestígio.

O delegado, amigo de jogatina do pai, empenhou-se em buscar o assassino, que pulara a janela aberta, aproveitando-se do sono da vítima e da ausência de sua mulher, ocupada com os afazeres da casa. Refez o caminho por onde o matador entrara ou saíra. Havia pisadas na grama ao lado das roseiras plantadas ao pé da janela.

Até debaixo da cama o delegado buscou prova que acelerasse a diligência. Quem sabe o assassino escondera sob o colchão o bilhete que esclarecia o delito? A patologia humana sempre o surpreendera. E apreciou que Ana lhe trouxesse café recém-passado e pedaço de bolo de milho. Fora despertado cedo e não se alimentara. Mas havia que suspeitar também da mulher, incluí-la no rol dos suspeitos.

Quem sabe teria ela pressa de herdar os bens, por já não aguentar a assiduidade com que o velho a montava, chegando a fechar os olhos logo que via seu membro ereto prestes a lhe desferir o primeiro golpe? Era, pois, suspeita.

Chamei o delegado e preguei a inocência de Ana em sua presença. Como filho, tinha interesse em punir o assassino. Estava convencido de que o crime resultara de um ato de vingança. Da parte de algum capataz, de algum empregado despedido. O pai acumulara ódios ao longo dos anos.

Ana me olhou. Recusava dever a liberdade a minha fraqueza, que eu lhe cobrasse a dívida. Observei-a com mirada opaca. Nem eu sabia o que preten-

A CAMISA DO MARIDO

der dela. Nos funerais do pai, na ausência do avô que já morrera, vi-me à frente do féretro. Pela primeira vez davam-me importância. Caso quisesse, teria condições de contestar junto ao juiz o testamento fraudulento do pai.

Ana pressentiu o perigo que corria. Não era dona senão do que eu lhe cedesse, de comum acordo. Ao lado da viúva, eu era agora o pai. Mas essa é uma outra história. Penosa e interminável.

PARA SEMPRE

A morte do pai a salvou. Podia agora chorar pelo morto que ninguém conhecia. Pelo amante que morrera em seus braços, em uma terça-feira sinistra, no meio do bosque onde às escondidas desafogavam o desejo, quando ele, como se o coração lhe explodisse, expressou suas emoções com tal ímpeto que seu corpo tombou tremente sobre seu peito desnudo, como se estivesse ele a ponto de inaugurar o mundo dos homens. Com o amante colado a ela, sorriu de prazer. Estava lhe dando nascimento como a mãe antes dela o fizera. Pois, sendo a mulher daquele homem, podia ser também tudo o mais dele.

O encontro fora tardio. O desejo proibido. Casado com a tia dela, ele morava na cidade vizinha. Raramente se viam. E, quando se encontravam, mal

A CAMISA DO MARIDO

se olhavam. Não havia chispa entre eles. Até a festa junina em que ele lhe ofereceu uns pastéis fritos na barraca diante da qual coincidiram. E ela, ao agradecer a gentileza, pois fez ele questão de lhe pagar os salgados, viu que seus olhos eram azuis como os olhos do avô morto, e que lacrimejavam como se acabara de chorar por motivo secreto, que só ele conhecesse.

A mulher não sabia consolar um homem que passava dos cinquenta anos, enquanto ela fizera pouco mais que vinte. Podia ser seu pai. E, como ela não sabia o que dizer, ele contou-lhe a história de sua família, que não tinha nada a ver com a dela, pois entre ambos não havia sangue comum. Falava devagar, como se contratado para apaziguá-la, e logrou chamar-lhe tanto a atenção que o seguiu pela vereda que os afastava da festa. Mais adiante, sentaram-se perto do tronco da árvore. A despeito da distância percorrida, ele ainda não acabara a história que ameaçava não ter fim. Mas, por havê-la escolhido como depositária de suas tristezas e alegrias, que se enlaçavam, ela agradecia a Deus, que lhe dera aquele homem generoso com as palavras e com os sentimentos.

Até que escureceu. Ela se sentia enfeitiçada por ele, que retinha sua mão e que, acariciando-lhe o braço com suavidade jamais provada, deu-lhe um beijo no pescoço, como se ali estivesse o tesouro da mulher que nunca fora amada por um homem. E, quando ela virou o rosto para o dele, um beijo selou o que ambos desejavam, e foram se deitando na terra batida como se no leito de penas, e amaram-se como ela não sabia ser possível.

E assim foram se amando nos meses seguintes, sempre às escondidas, até que ele, havendo gritado mais que nunca, como proclamação de seu gozo, tombou-lhe sobre os seios, e então ela percebeu que o grito, de verdade, anunciava a sua morte. Morrera dentro dela, sobre o corpo da mulher que ainda carecia de muito amor.

Esfregou o peito do homem para lhe extrair alento, suspiros, sinais de vida, até constatar que já não estava mais. Deixara-a, contrariando sua promessa de jamais abandoná-la. Desesperada, sem saber como agir, constatou ser mister preservar a honra dele e a sua. Havia que abandoná-lo na relva, onde estavam. Arrumou-o, apagou os vestígios do sexo vivido e, dilacerada por deixá-lo como se não tivesse dono, regressou a casa sem poder viver seu luto.

A perda do amante lhe incendiava o coração, mas foi a do pai, em seguida, que lhe consentiu assumir a dor, que lhe permitiu chorar à mesa contando com a compreensão dos demais, como se um pranto

A CAMISA DO MARIDO

destinado ao progenitor. Como órfã, expressava de forma caótica o desejo de espalhar as cinzas do pai no alto do monte, perto do local onde ela e o amante se encontravam e faziam amor.

Afinal, abandonou a vila. Trocou a casa paterna por outra, miúda, de anão, que o pai lhe regalara. Seria seu exílio, sua cela. Isolada agora do mundo, passou a consumir suas energias cuidando dos animais. Amava sobretudo as galinhas, de cabeça pequena, acusadas de não terem cérebro. Após terminar suas tarefas, como que esquecida do corpo, aquecia as pernas em torno da casa. Já mais aliviada, tomava rumo do armazém. Pouco consumia. Os ovos, as frutas das árvores plantadas pelo pai, os legumes do pomar e o leite das vacas a nutriam. Não pedia além do que tinha.

Ao passar dos anos, seguia recordando o homem, que guardava no corpo e na memória. Envelhecia gradualmente, a despeito de ser ainda jovem. Contudo, não conquistara serenidade. O ritual da morte do amante, que se fundira com os funerais do pai, a desorientava. Ao recordá-los, os dois homens se confundiam, as perdas se misturavam.

Recusava-se a visitar a família. Temia ver a tia a quem traíra sem que suspeitasse. Mas, na solidão da casa, não se arrependia, não lhe devia explicações. Só culpava a vida, que não permitira amá-lo por mais tempo, esse ogro que, desde o nascimento, nos deixava respirar, sem prodigalizar benesses, sorrisos inocentes.

Não a maltratava apenas o amor perdido, mas a descrença no futuro. Já não confiava que o cotidiano lhe pudesse um dia brindar com algo mais além da paisagem, que via da varanda, do pão, da manteiga que batia com energia, dos ovos que as poedeiras, suas amigas, punham pelas manhãs, como forma de regalo. O ato, enfim, de coar o café, de sentir o líquido percorrer as veias, o cheiro entrando narinas adentro.

Ao perder o homem, por estranho que fosse, a vida ficou-lhe mais leve. Já não arrastava o fardo da esperança. Não tinha mais por que sonhar com os aviões, com os barcos, com o que a levaria a conhecer o mundo que, no crepúsculo, deitava-se atrás da montanha, além do desfiladeiro.

As maravilhas do mundo encontravam-se onde sempre estiveram. Não era forçoso deslocá-las de onde estavam, trazê-las para perto da ganância humana. Não havia como retificar os defeitos e as virtudes das supostas maravilhas. Mas mereceriam mesmo os nossos aplausos? Correspondiam ao projeto de Deus? Ou, frutos da simulação humana, tornaram-se mestres na arte de mentir?

A CAMISA DO MARIDO

Quando a queriam visitar, pretextava estar gripada, naquelas lonjuras, em meio aos bichos, vivia exposta a vírus. E apenas abria as portas para dois amigos recentes, que conhecera no armazém da vila. Com eles aceitava olhar pela janela o sol desaparecer. Mas lhes dizia que não se aventurassem a visitá-la sem autorização.

Ausentava-se da casa com frequência. Estava até pensando em partir para sempre. Sozinha, porém, inquietava-se. O amor que ainda levava dentro provocava-lhe certa vertigem, como se vivesse muito acima da altura do mar, precisamente no Anapurna, o pico asiático que a entusiasmara nas aulas de geografia.

Em certos instantes, não duvidava de que aquele amor vivido, cujo rosto já não recordava com a nitidez de antes, seria o último de sua vida. Tudo lhe dava pretexto para acreditar que fosse eterno. Não podia imaginar que um estranho lhe arrombasse o coração provocando-lhe o mesmo sobressalto. Um fato assim seria excessivo para uma única existência.

Acariciou as galinhas que bicavam a terra à procura do milho. Eram filhas, herdeiras. Amava-as. Como era enaltecedor amar os animais! O que ora tinha ao seu alcance dava-lhe motivos para dissipar o capital da vida e chegar ao outro lado da terra, que podia ser o fim. Como o pai, que se excedera sem se arrepender.

A lua trazia lembranças, mas não lhe devolvia o amor vivido em meio às árvores, como dois seres idílicos esquecidos dos animais rastejantes que lhes poderiam roubar a vida. Os raios lunares, no entanto, diziam-lhe que nenhum outro corpo a aconchegaria, pois como confiar em quem fosse a ponto de se dar como se estivesse se oferecendo a uma divindade?

Caminhava às vezes pela mata. Nada temia. A seus olhos, a humanidade morrera. Embora triste, a recompensa era estar livre agora para chorar, para verter todas as lágrimas sem olhar em torno. Eram suas e não lhe manchavam o traje de algodão.

Amparava-se na decisão de estar só no mundo. Constituía uma epifania. Estava pronta para enfrentar quem fosse. De sua força advinha uma voracidade amorosa que se saciava com a vida sem brilho. Era tudo de que carecia.

A SOMBRA DE CARLOS

Enterrei a tia e não chorei. Corri para casa querendo ficar sozinho. Fortifico-me sem a presença de estranhos. Sou agora o único que resta de uma família de escassos membros e parcas moedas.

Hoje, pela hora do almoço, o gerente do banco trouxe-me a caixa, depositou-a praticamente aos meus pés e me apresentou o documento para assinar. Pouco ficou na casa, não prestou esclarecimentos. Queria livrar-se do encargo da tia, a quem parecia não estimar. Mas, pelos cuidados dispensados ao embrulho, parecia haver dentro peças frágeis, porcelana, cristais.

Sozinho, refeito da presença do homem, abri a caixa. Só que, em vez de objetos outrora expostos na cristaleira, destacava-se um envelope de cor parda, estufado sob a pressão dos papéis. Não o retirei da caixa. Resistia em abri-lo.

Olhei o retrato da tia sobre a escrivaninha, onde a mãe o conservava há anos. Suspeito de que nutrisse a esperança da tia, lisonjeada com tal distinção, incluir-nos no testamento. Afinal, ela fora parcialmente responsável por alguns dos sonhos inúteis que impingira ao sobrinho.

O retrato desbotara, e nem assim a mãe o removera de onde estava. Esmaecido como estava, suavizara as feições da tia. Mas continuava com a mirada severa que nem a velhice cancelou. Os lábios finos, irônicos, compraziam em me inquietar. Seu aparente desamor, contudo, nunca me ofendeu, menos agora, um dia após sua morte.

Acaricio o envelope, que ela lacrou. As letras do meu nome, saídas da tinta da caneta Parker, advertem-me dos perigos que corro por conta de sua derradeira generosidade. Mas por que temer revelações tardias oriundas de um segredo que só agora decidiu ela revelar? Acaso sua sovinice amealhou insuspeitada riqueza que cabia no envelope trazido pelo gerente do banco? Ou seriam bilhetes dos homens que a amaram fugazmente?

Embaraça-me examinar cada folha e confrontar-me de repente com a revelação de seus apetites carnais. Mas, se me legou, em vez de uma história de amor, um patrimônio constituído de ações, títulos,

A CAMISA DO MARIDO

papéis, teria que sondar seus valores no prédio suntuoso da Bolsa, na rua XV de Novembro, onde se guardavam os sonhos de gente comum como eu.

Foi a tia quem me falou pela primeira vez da existência de Ambères, uma cidade que se notabilizara no passado pelas transações financeiras ali havidas a serviço de reis, príncipes, até eu descobrir mais tarde que o próprio Carlos V, em momentos de aperto, recorria a seus banqueiros para lhe financiarem as guerras.

Do outro lado do Atlântico, eu, que tremia de frio no mês de julho e sofria as agruras do salário miserável, solidarizava-me com as aflições de um imperador que dependia de meros banqueiros, donos do destino do dinheiro. E, quanto mais a figura do imperador se agigantava no curso da história, tanto mais Ambères, vista de longe, parecia-me uma paisagem desolada cravada no século XVI.

Separado de Carlos V pelo tempo e pela geografia, eu tecia fantasias que reduziam meu sentimento de fracasso. Fazia anotações sobre ele na tentativa de esboçar um tratado que me esclarecesse o significado de ter o mundo nas mãos.

Entretido, às vezes, com o sanduíche de mortadela comprado na padaria da esquina, rendia-me aos encantos históricos de Carlos V. Não ousando, porém, confessar à tia que eu, cidadão paulista, desfrutava da companhia de um imperador. Para tanto seguindo de longe as manobras gananciosas dos banqueiros, para quem o ouro vicejava enquanto faziam crescer as dívidas do monarca.

Falo do ouro como se estivesse a ponto de herdar uma fortuna que a tia escondera por temor de ser roubada e com a qual, como o imperador, aliviaria minhas dívidas. Qualquer soma me traria a ilusão do poder. Afinal, pobre professor de história, vivia em um apartamento de segundo andar de um edifício cujos corredores longos tinham sempre as lâmpadas queimadas. Já não suportando as buzinas dos automóveis e o ruído urbano que proclamavam a triste épica dos habitantes desta cidade. Um barulho infernal que afirmava ser minha alma produto do viaduto, esse monstro insone.

Há muito capitulei. Desarmado, cedo quem sou a quem me reclame. Como parte da maldita caravana de carros e de camelôs, entrincheiro-me na paz fria do banheiro azulejado. Não sofro, contudo, o mesmo desespero que abateu Carlos V, César do mundo e da fé. A ele coube cruzar seus reinos em incessante cavalgada, premido pela suspeita de jamais regressar a casa, onde Isabel o aguardava. Não tinha, como eu, este apartamento, a toca da modéstia. E isso porque,

A CAMISA DO MARIDO

vendo-o no quadro pintado por Tiziano, parecia dono do mundo, a despeito do queixo prognata, marca dos Habsburgo. Esquecia-me de sua dificuldade em mastigar, além de ter o hábito de engolir a comida quase por inteiro. Os trajes escuros, que portava sempre, combinavam com a mirada centrada num foco de luz para onde confluía seu poder. Sua majestade assegurava-lhe a aliança com Deus. O que deviam fazer seus súditos senão reverenciá-lo? Pois, para Carlos V, que falava com Deus em castelhano, a fé era instrumento indispensável ao exercício de qualquer tirania. Assim, a cada manhã, arrastava o fardo da crença.

Certa vez a tia mencionou meu futuro como se me julgasse incapaz de atender aos reclamos da família, aos deveres que cabiam a um homem. A minha inércia perdia aos poucos o que nos restava.

A mãe, porém, não se importava com a escassez das moedas. Tudo lhe parecia bem. E, enquanto a tia reclamava, eu mirava o horizonte. Seguia as pegadas de Carlos, I de Espanha, rival de Francisco I, de França. Juntos, os dois eram incomparáveis. Como pretenderia a tia competir com reis, com heróis escolhidos para me arrancar da minha vida mesquinha?

Carlos V não tinha amigo nem inimigo. Com todos compunha alianças quando necessárias. Visitava

97

periodicamente seus reinos, ligados entre si pelo fio invisível de sua trama. O Sacro Império mantinha-se sob o calor da sua implacável majestade.

Meu salário não cobre minhas necessidades. A sorte nunca me favoreceu, nem os amores. Após a morte da mãe, só tenho a alma como encargo. Ainda assim, como a preservar diante dos protestos da tia? Afinal, a alma é a precária residência humana.

Retorno sempre ao imperador, ao roteiro de sua vida. Sua grandeza cancela minhas ambições. Não tenho a coroa como penhor, em troca do crédito que me ofereçam os banqueiros. Um crédito que, embora financiasse a guerra, era mais volátil que o pensamento. Graças ao qual, no entanto, Carlos V consolidava o império e a fé católica sob a ameaça protestante e muçulmana. Afinal, por direito de sua linhagem, contava com o beneplácito divino, a lhe dizer que o dinheiro, perante sua fé, era um bem sem moral.

Ao exacerbar a imaginação, sofro de insônia. Debato-me contra os moinhos de vento do Triste Figura. Tudo se torna matéria de desgarrada hesitação, e não sei para que lado ir, tendo a tia como telão de fundo. Suspeito, no entanto, que me amou a sua maneira. Foi quem me levou a batizar em um domingo cinzento de julho. Zelosa com a

A CAMISA DO MARIDO

cerimônia, amanheceu na casa com os cabelos presos em coque. O vestido azul-turquesa não voltou a usar, segundo a mãe.

Devo-lhe o nome de Antônio, que desagradava aos pais. Ela jogou Antônio sobre a mesa, como uma carta de baralho, e venceu. Comandava a família sem sorrir, indo direto ao assunto. Desincumbia-se do que fosse sem considerar a suscetibilidade familiar. Assim, fiquei Antônio, o santo casamenteiro, defensor das causas perdidas.

Na igreja, esclareceu ao padre que o nome do sobrinho era alcunha cristã. O padre, interessado pela fragrância violeta que emanava da tia, limitou-se a apurar as narinas como que reservando o cheiro para quando a fantasia o assaltasse no meio da noite.

A tia sibilava certas palavras, deixando aparecer às vezes a ponta da língua. Tocava também a superfície dos lábios com o polegar, como extraindo do interior a lembrança de quem lhe despertava nostalgia.

Devo a ela a atração por um mundo antagônico ao meu. Ao falar do Brasil, a tia afirmava que o passado era melhor que o presente, o que me forçava a embrenhar por terras alheias e por épocas distantes. Assim, fugia dos transtornos do cotidiano lendo o que fosse sobre o império de Pedro II. Não me detinha sobre o país de hoje, cujos enredos eram previsíveis e medíocres.

Após o imperador brasileiro, lancei-me a aventuras povoadas de cavaleiros, cortesãos, papas, gente de outros séculos, até descobrir, saído das paredes do museu do Prado, o cavaleiro a cavalo, com armadura e elmo.

Na escola, onde leciono, sou um homem infeliz. Afloro para a vida quando participo das peripécias alheias, da realidade desfigurada pela pletora de personagens. Consulto livros e amo as intrigas da corte de Carlos, sobretudo quando está ele na iminência de renunciar e é mister dividir os reinos. Ao enaltecer o imperador, desloco-me de meu eixo medíocre, ganho nova medida.

A mãe, enquanto vivia, se ressentia com qualquer insinuação que pretendesse difamar a irmã. Qualquer acusação que lhe fizessem tinha caráter mesquinho.

— A irmã foi sempre invejada.

E completava:

— Se foi mundana na juventude, agora, na velhice, é casta. Merece aplauso.

Ela, insinuando que a irmã não quis marido, não quis pertencer a um único homem. Não tivera dono. E, dito assim, expulsava da casa qualquer voz dissonante e maliciosa com o recado cristão:

A CAMISA DO MARIDO

— Quem pode se proclamar intacto, sem mácula e chamusco, isento das tórridas paixões?

À época, eu ignorava o significado de uma existência mundana, cercada de flores, vinho borbulhante, festejada por homens em busca de um sopro de vida. Porque sempre julgara a tia uma mulher austera, sem amores.

Por sua vez, ela assombrava-se com meu apreço pela história. Esperava que ingressasse no serviço público e viesse a ser diretor de importante repartição do Estado, ou mesmo um escritor capaz de criar um livro no qual registrasse o sabor da eternidade. E fizesse ver aos leitores que a memória, havida nos livros, prorrogava a existência dos mortos. Enfim, o que viesse ele a ser, menos que o sobrinho sucumbisse ao cotidiano da irmã, prisioneira das paredes da casa.

Certa vez, ao cruzar ela as pernas, vi as coxas da tia, apenas protegidas pelo vestido de algodão leve. A visão roliça me perturbou. Desviei a mirada temendo ver-lhe o sexo e pleitear, na imaginação, uma intimidade a que não tinha direito. Afinal, nunca fui seu homem. Não passava de um sobrinho magro e moreno que, ainda hoje, pouco sabe por que via de mistério manifesta-se o desejo de uma mulher. Até onde as águas tépidas de um corpo trêmulo aquecem uma humanidade desamparada. Acaso a tia, nos últimos anos, no afã de pureza, encerrara seu desejo na jaula do ventre? Golpeara a si mesma com chibata, cilício? Infligira ao corpo o martírio da esperança? Ainda que eu desviasse os olhos da tia, vi-me, de repente, à beira de sua cama, observando como ela, solitária na noite, agitava o fino cutelo de seu desejo prestes a entrar impiedosamente em ação.

Não assisti a sua morte. Havia muito não a visitava. No último Natal, mandei-lhe um bilhete apressado, no qual juntei as sobras de uma rosa macerada. Ela não me quis ver. Cortejou a morte até o fim. Refugiada no quarto, proibiu visitas. A vizinha recomendara que lhe cobrisse o rosto com o véu, após cerrar-lhe os olhos.

Não lhe herdei os sentimentos intensos que a mãe dizia ela ter. Fui sempre alguém entregue à melancolia, com a mirada posta na linha do horizonte. Sentia-me longe da casa, com o coração ancorado em algum recanto da terra. Parecia-me haver nascido de um descuido dos pais, quando a carne, em frangalhos, pedia que ao menos procriassem um filho.

Assim, quando o pai tomou o trem na Estação da Luz, prometendo logo regressar, não estranhei que, vencida a última sexta-feira do mês, não regressasse. Mas, quando se venceram alguns meses

A CAMISA DO MARIDO

sem ele entrar porta adentro, enraizou-se em nós a convicção de que o orçamento acanhado e a falta de amor o fizeram desistir. Em seu lugar, a luz mortiça da sala indicava luto.

Única responsável pelo filho que lhes sobrara da aventura conjugal, a mãe entendeu que Deus lhe dera prendas raras com que sobreviver. Suas mãos, de fada, bordavam o que fosse solicitado, réplicas de travessas, de quadros, do que fosse, e sem reclamar. Havia muito adivinhara essa sina, para ela e o filho franzino. Só a visita da tia rompia a sobriedade da casa.

A tia compensava a rigidez simétrica daqueles anos com bombons de cereja, da Kopenhagen, e livros, além de moedas que aliviassem as despesas. Sua presença me intimidava, arrancava-me suspiros. Ela era arredia aos meus intentos de lhe agradar. Mas, às vezes, desejosa de aparar os excessos de um menino que vivia na esfera do infortúnio, passava a mão no meu rosto para sentir os primeiros fios de barba.

Hoje vejo que, ao sumir de casa por longas semanas, ela quis vingar-se daquele sobrinho que resistia ao seu fascínio, e entendi com os anos que os maledicentes acertavam ao afirmar que a tia ia com frequência ao antigo Palácio do Café, no Pátio do Colégio, onde a Bolsa então funcionava, para acompanhar o pregão.

— E o que é Bolsa, tia?

Perguntei-lhe, após sua longa ausência. Aprumou-se então e, graças a seguidos gestos masculinos, assemelhava-se a um corretor de Fundos Públicos, ocupante de um dos assentos tradicionais da instituição, a quem só faltava o terno de casimira, enquanto escandia as palavras com a ponta da língua.

— É o mercado do pregão.

Fez uma pausa. Não podia falhar.

— Em vez de venderem peixe fresco, gado por arroba, ou ouro extraído dos garimpos, compram e vendem papéis com nomes de empresas que, embora você não conheça, equivalem a casas, joias, viagens. Tudo com que se sonha ao longo dos anos.

À visão de bens que descrevia com volúpia, como se os tivesse ao alcance, ela suspirou. Ferida por alguma lembrança, o rosto afundou dentro de si, em busca de um recôndito tesouro, ou de uma viagem da qual retornasse com as feições intumescidas. Sofrera um colapso, que ambos percebêramos.

Trouxe-lhe água. Bebemos juntos sem um brinde. Rápida, ela recorreu ao espelho e contra-atacou retocando a maquiagem. Tal cuidado, indevido, entristeceu-me. Se de fato era possuidora de ações

A CAMISA DO MARIDO

valiosas e relacionava-se com cavalheiros do pregão, por que inquietar-se com rugas, com os fios de prata dos cabelos que a luz da sala acentuava?

Os olhos verdes da mãe apoiavam a tia, cujo rosto agora, por efeito de súbito milagre, cedera passo a uma alegria desajeitada. A mãe, porém, a despeito da recuperação da tia, seguia desejando-lhe toda classe de sorte, que a vida lhe pudesse oferecer uma cornucópia repleta de pepitas, quando, quem sabe, após vencer as circunstâncias adversas do seu cotidiano, lhe coubesse igualmente encontrar moedas na gaveta do armário, de modo que passasse a adotar os excessos da irmã e imitar suas façanhas.

Unidas, como sempre, beberiam juntas o vinho da mesma taça, repartiriam confidências, cortariam com a tesoura de jardim a cerca de arame farpado que até então isolara uma da outra. Acaso os pregos da inveja, ou mesmo da indiferença, haviam se oxidado com os anos e não lhes restava nada mais que reclamar? Contudo, a mãe sempre obedecera às fórmulas convencionais do convívio, jamais deixando de lhe oferecer uma caneca de café, que lhe servia às vezes na mesa da cozinha, em cujas paredes descascadas escrevia epígrafes para não esquecer.

No aparador da sala, a mãe expunha o que constituía suas relíquias. Sob a guarda da fé católica, espanava os objetos para não perecerem, entre os quais se destacava o retrato da irmã quando começara a envelhecer. A tia, talvez agradecida, trazia livros históricos para serem lidos nas férias. Antes, porém, à guisa de censura, lia alguns deles. Em certas páginas, sublinhara a lápis frases denunciando um coração arrojado.

Tentei seguir o rumo de seu pensamento por meio dos rabiscos que deixara no papel. Sob a tensão da leitura, ela confiara no poder das palavras prestes a transferir ao sobrinho. Quanto a mim, ressentia-me que quisesse controlar minha imaginação, impedindo que agrupasse desolados ciganos, dispersos na estepe, sobre a página impressa, personagens que ia fermentando. Afinal, dependia eu de mínima inteligência para preencher as palavras com meu instinto inato de sobrevivente.

Mas eu agradecia seus presentes. Os livros eram criaturas que me faltavam em casa. Atraíam-me a atenção, sobretudo aqueles que tinham Carlos V como personagem central. Aquele Imperador que, a despeito de se sentir extenuado, com os dedos enrijecidos pelo frio, vendo os recursos oriundos da América consumidos no sorvedouro das guerras, das administrações custosas, percorria a Europa incansavelmente. Entre lamúrias, tentava preservar

A CAMISA DO MARIDO

seu Império, ameaçado de se fragmentar sob os novos ditames libertários, as nações incipientes, o cisma religioso. Para tanto, fazia seus mensageiros cruzarem a Europa a galope, arrebentando as patas dos corcéis árabes, instigando animais e embaixadores a chegar aos centros financeiros, a fim de que apelassem, com inusitada insistência, à Bolsa de Flandres. Os banqueiros, então, como Welser e os Fugger, cediam-lhe novos créditos, acrescidos aos débitos anteriores. A voragem dos papéis, de agrado da tia.

Em certo domingo, ela prolongou a visita, sem demonstrar pressa. Distraía-se esfriando o café com sopros infantis.

— A sorte costuma favorecer os infiéis e os cínicos, disse, manifestando sua incredulidade pela vida e pelo sobrinho.

Diante do iminente ataque, eu abstraía-me, forçando a visão das hordas muçulmanas que avançavam, quem sabe, pelo Danúbio, conduzidas por Solimão, o Magnífico, inimigo de Carlos, cujas consignas, flâmulas e sabres, refletidos pelo sol, aprontavam-se em bater contra os infiéis cristãos que se propunham a exterminar seu Deus.

A tia notou a mirada esgazeada, o átimo da sombra que turvou o coração do sobrinho. Cruzou os braços e os escondeu dentro do casaco de lã. E, com passos certeiros, cruzou seguidas vezes o apartamento onde ainda hoje vivo.

— Sempre apostei nas emoções. Os papéis que tenho na gaveta fazem parte delas.

Acaso se referia a um amor que, conquanto extraído da árvore do bem, ao final lhe provocou desfastio? Mas que lhe deixou, como herança, cartas proibidas, nomes enigmáticos, cânticos salmódicos? Temia que a tia se agastasse comigo e atribuísse ao sobrinho inexperiente um nascimento turvo, devido à debilidade de um pai que, em vez de trabalhar, exaltava o que estava longe dele, como a Paris da *belle epoque*, que jamais conheceu.

— De que papéis fala, tia Bela? Não irão mofar trancados na gaveta?

Era eu o único a chamá-la de tia Bela, mas cuidando para não banalizar o código havido entre nós.

— Se não se acautelar, saberá um dia o que é um futuro depauperado, sem teto, à mercê da caridade alheia?

Eximia-se, porém, de descrever as marcas de um realismo sórdido. Reservava-se o direito de esgotar as ilusões que inventara para si mesma.

Tomado por estranhos pressentimentos, cerrei a porta a chave quando ela se despediu. Não pretendia

A CAMISA DO MARIDO

que seu cheiro, o eco de suas palavras que pregavam o fracasso e as ilusões se alastrassem, impregnassem os objetos da mãe. Se ela parecia temer a existência sob o signo das incertezas, também eu desconhecia o significado do que seria um futuro promissor. Esse porvir que ela insinuava às vezes em meio à neblina de São Paulo, à chuva, que inundava os bueiros da cidade.

Tenho o envelope a minha frente. Não tem pernas. Nem pode fugir como a tia, que escapou pela morte. Custa-me abri-lo. Por outro lado, examino os objetos que me entregou meses antes. Como que atônitos, espalham-se sobre a mesa. Nenhum faz parte da minha genealogia espiritual. Ela deveria tê-los quebrado antes de morrer. E isso para que a forma que tinham em sua companhia não se dissolvesse agora que estão comigo.

Custo a romper o lacre do envelope, um subterfúgio que a tia inventou para eu tardar em tocar o fundo do poço que me legou. Talvez eu enterre amanhã as cartas de amor, caso haja alguma. São escombros sem importância. Mas, não sendo bilhetes e cartas, me caberá buscar à tarde algum corretor que zele pelos meus bens. A linha da fortuna eu a tenho na palma da mão direita. Ao meu lado, o fantasma de Carlos V solidariza-se com a minha expectativa. Tão logo rompa o envelope, saberei que herança a tia concebeu para o sobrinho. O Midas da aventura injeta-me esperança. Juro ir à Bolsa ao mais leve aceno da fortuna.

EM BUSCA DE EUGÊNIA

Benito chegou na quarta-feira. Um dia antes do final do mês. O filho envelhece e seus trajes me parecem soturnos. Embora não confesse, pertence à quadrilha de Gonzalez, que percorre as rias e o Minho, pelo lado de Tuy, perto da fronteira portuguesa, a contrabandear mercadorias. Algumas vezes foi levado ao cárcere, mas logo a polícia o devolve às ruas. Evito ler os jornais. É o próprio Benito quem me filtra as notícias. Sabe o que posso suportar. Não quer furar o balão dos meus últimos anos com o alfinete oxidado. Deixa-me, pois, entretida com meus devaneios.

Às vezes, chega alvoroçado à aldeia. Senta-se no banco da cozinha, enquanto corto a couve para o caldo. Pede-me a bênção a sua maneira. Confia em que meu olhar distraído possa absolvê-lo. Quando enfurece, aumenta o tom de voz.

NÉLIDA PIÑON

— Nunca desonrei esta casa, mãe. Só não quero morrer de fome. Ou cagar vento e pevides dos frutos que os ricos cospem fora.

Nunca se esquece de deixar o dinheiro do mês na fruteira. Evita também mencionar os filhos e a mulher. O sol, na sala, incide sobre as frutas e o dinheiro. Nesta época, aliás, elas amadurecem depressa.

Sinto-me aliviada quando resolve partir. Alega muito trabalho, quer comprar uma casa na semana entrante. Ante sua cobiça, silencio-me. Como amparar um filho que prima pela mentira? Desde a infância, prometia trazer para casa uma cornucópia abarrotada de moedas.

— Não quero ser como o pai.

Reprovava, assim, o marido que eu havia escolhido, humilde e tímido. Repetia essas jactâncias com frequência. Pouco me importava. Sempre esqueci a família nas lides da lavoura. Só muito depois pressenti a origem espúria de seu dinheiro. Contudo, não me assustei com tal ofício. Decerto obedecia às urgências do próprio destino. Havia jurado fugir da pobreza. E, depois, não era o único a transgredir a lei. Também Ventura, vosso vizinho, chegava em casa de madrugada, aos gritos, proclamando amor à riqueza.

Lembra-se de como ele arrancava aflito o dinheiro dos que estavam na taverna e roubava os frangos

A CAMISA DO MARIDO

que lhes vendera na véspera? Contudo, Ventura jurava jamais haver matado. Também Benito tem as mãos limpas de sangue. Paciência. Não sei onde está o bem e o mal.

Deus me levou dois filhos. As mortes me foram anunciadas por meio de cartas lacônicas. Mas, antes mesmo de morrerem, eles me haviam esquecido. É fácil agora fingir que ainda seguem vivendo. A vida poupou-me o dissabor de enterrá-los, de desfiar diante do caixão um rosário de contas empapadas pelas minhas lágrimas. Ensinou-me também os méritos do esquecimento. O amor, para seguir querendo, precisa apalpar o rosto do outro, certificar-se das trepidações da carne.

E você, Eugênia, quantos filhos teve? Se me contou, esqueci-me agora. Estranho destino, o nosso. Ao parir, mugimos como vacas, balimos como ovelhas. Tanto estardalhaço para que os filhos nos paguem mais tarde com visitas apressadas. Absortos com o mundo, mal chegam, de olho no relógio, querem logo partir. Como se a sina do homem fosse fugir do estábulo onde afinal foi parido.

Os outros filhos raramente selam uma carta que pouse em meu quintal. Às vezes, enviam um postal, simulam uma viagem. Querem dar provas de que o dinheiro lhes sobra e de que podem entregar-se às pequenas orgias. Mentem tanto quanto Benito.

Meus dedos emperram no trato da caneta. Invejo aqueles doutores que escrevem livros, orientam o mundo com palavras. Não sei lidar com elas. Gostaria, contudo, de que as palavras, aqui registradas, emergissem do meu medo, da minha solidão.

Quando lhe escrevo, Eugênia, sinto-me renascer. Cada palavra opera um milagre. E, embora a letra e as ideias tremam, sei que ambas saímos do mesmo útero. Lembra-se ainda dos rostos do pai, da mãe, dos avós? Por mais que me esforce, eles enfumaçam na minha frente. Guardo-lhes sobras apenas de gestos. Rala memória. Se ao menos tivesse deles um retrato! Os meus olhos azuis, por exemplo, a quem devo? Acaso serviria catar em algum rosto da família a revelação da minha origem?

Nunca mais nos vimos. No início, queria tanto abraçá-la, envolver em um abraço a infância, os mortos, você. Recuperar o calor da nossa defunta mãe em seu corpo. Saber assim quem de nós herdou o cheiro materno.

Não esqueço nossa despedida. O ar zombeteiro com que arrastava para longe o marido, pelas mãos. Ele sempre lhe obedeceu. De vestido de algodão, você não escondia o prazer que advinha de ser a

A CAMISA DO MARIDO

primeira dos filhos a deixar a aldeia. Odiei sua indiferença, o modo como se propunha a encerrar-me na casa com mil chaves, só para ser feliz longe de mim. Eu mal respirava sabendo que o trem a levava para longe. Talvez nunca mais nos víssemos. Foi quando você, de repente, sentou-se na minha cama e começou a chorar, enquanto, aflita, deslizava os dedos ao longo do braço. E foi sua iniciativa levar-me até a horta. Queria mostrar-me o anel, presente do marido. Entre as hortaliças, pareceu-me triste.

— Não é do anel que lhe pretendo falar. É de uma vida que não sei como começa e não sei onde vai acabar. Prometa que virá um dia me ver.

Examinei o anel comprado com tanto sacrifício. A pobreza é insolente, perde-se em falsas ilusões. Coloquei-o no dedo. Tínhamos mãos idênticas. Eu bem podia emprestar-lhe a mão direita, caso amputassem a sua. Ninguém notaria a diferença. Sempre lhe imitei os gestos.

— Visito, sim, se jurar que é feliz. Se não for assim, fico onde estou. Somos tão poucos agora nesta aldeia.

Nos primeiros anos, ainda escrevia. Logo, porém, as notícias escassearam. Os que partem esquecem o caminho de volta. Ambicionam retornar sob o manto da esperança e do ouro. Uma voz ou outra

NÉLIDA PIÑON

nos diziam que Eugênia abandonara a casa onde vivera por muitos anos e que andava por Alicante, Málaga, sempre mais ao sul, perto dos mouros. Sua família ia deixando atrás suor, réstias de sonhos, ossos calcinados. Esquecidos da língua familiar, do nosso toucinho. Prescindiam do riso e do pranto da Galícia, empenhados talvez em um cotidiano que apagava as marcas de memórias vencidas, soterrava sentimentos incômodos. E foi assim? Ah, Eugênia, não passamos todos de roedores de avelãs, de nozes, de pupilas humanas. A fome é o norte do nosso rumo.

Custa-me imaginá-la grudada ao mar. A cada ida ao mercado, mirar a linha do horizonte. Tentada a mergulhar nas águas desse mar, que é o Mediterrâneo, enquanto eu, sua irmã, prisioneira ainda hoje das montanhas galegas, não tenho para onde ir. Já não sei se quero voltar a vê-la. Se não pude enquanto era bela, por que haveria de ser agora punida com a visão de sua velhice? Se ao menos tivéssemos feito o esforço de nos visitar! De nos encontrar à beira do rio onde antes nos banhávamos vestidas, temerosas de que vissem as pernas, o peito a brotar. Lembro-me de como, galante, ofertava-me as pedras roliças do rio, as folhas arrastadas pela corrente. Suas histórias me subjugavam. Algumas pareciam trazidas do

A CAMISA DO MARIDO

fundo do mar por umas sereias amigas. Para eu crer, afirmava-me que aquelas histórias, ora sussurradas, ganhariam nova versão na aldeia vizinha:

— Estarei lá, em pessoa, contando esta mesma história a uma irmã que não será você.

Parecia uma sacerdotisa celta que, segundo o professor da aldeia, entregava-se a rituais que os séculos, porém, consumiram sem apelação. Ora, se até os celtas desapareceram, por que sobreviveríamos nós? É tão difícil saber o que sobrou de nós, se o que guardamos de cada qual caberia dentro de um cofre. Acaso seria capaz de me reconhecer em alguma cidade, de gritar o nome da irmã que não voltei a ver havia quase sessenta anos?

Continuo na casa onde nascemos, que me coube como herança. Da minha cama, escuto o mugir das vacas que, no primeiro andar, aquecem no inverno as paredes dos quartos de cima. A aldeia cresceu, invadida por estranhos. Ignoro-lhes os nomes, confundo-lhes os rostos. Fingem ser ricos, sufocados pela prosperidade, exibindo aparelhos elétricos. Já não guardam como antes os vinténs da pobreza. Quando reclamo deles, Benito censura-me. Segundo ele, destilo amargura, mastigo os alimentos sem piedade.

O que podia o filho esperar de mim? Enterrei o marido antes dos quarenta anos. Naquele sábado, de volta do cemitério, tratei de esquecer o leito vazio, os lençóis frios, os lobos famintos, soltos na montanha. Só que eu era viúva mesmo enquanto o marido vivia. O corpo sempre foi uma armadilha. No início do casamento, provocava sobressaltos, prazeres fugazes. Em seguida, veio o desgaste, a vida amordaçada. Como se entre nós só a alma bastasse. A alma, no entanto, é violácea, triste. Não comunga com o sexo. Mas acaso existiu quem na aldeia tivesse me feito sorrir, sob a promessa de ser feliz no futuro? Alguém a ensinar-me que as aflições cedem passo à ventura?

Sozinha, cevei filhos e animais. Não poupei sacrifícios. Levantava-me cedo, ainda que o frio me prendesse à cama. A lavoura vinha primeiro. Havia que chicotear a preguiça. Os filhos podiam se espreguiçar. Eu não.

À noite, acendia o lampião e o fogão a lenha para preparar a comida. A louça aos poucos ia se quebrando, mas eu resistia à pobreza. Nunca nos faltou o pão. Sem me descuidar dos porcos, que, também no estábulo, vizinhos das vacas, esplendiam. Eram meu orgulho. Alguns atingiam trezentos quilos. Para eles, preparava panelões com mistura de milho, batata, couve, e o meu olhar vigilante, que havia muito não nutria sonhos.

A CAMISA DO MARIDO

Poucas cartas a irmã me escreveu. Guardo-as todas como tesouro. Ao recebê-las, derramei lágrimas discretamente. Tinha pudor. Que não percebessem o que eu sentia. As emoções abrigam-se no coração e ali ficam. É penoso contar histórias. Corre-se o risco de que a escrita de alguém queira logo aprisioná-las. O que lhe quis contar só ganharia alento em sua presença, ambas à beira do fogo. Com voz pausada, lhe confiaria minhas palavras. De modo que, quando morresse, você prontamente me substituiria onde eu havia me detido. E, após sua morte, uma outra voz do mesmo sangue.

Não sei se lhe disse que Manuel, o primeiro filho que perdi, tão diferente de mim, amava as festas, o vinho rubro. Era comum exceder-se. As emoções fugiam-lhe sem controle, por tudo parecia condenado à intensidade do fugaz. Certa noite, irrompeu casa adentro. Queria asilo.

— Proteja-me, mãe, do inverno e de meus sentimentos.

Fazia frio. Baixei as cortinas do quarto. Envolvi-o com a manta. A febre o consumia. Apliquei-lhe nos pés um tijolo quente enrolado em folhas de jornal. A vida também começa pela planta dos pés. Ambos sabíamos que a febre nem sempre nascia do corpo.

— O espírito é livre para adoecer, Manuel.

Ele sorriu. Aquela mãe sempre pretendeu ordenar o mundo segundo um feitio inventado por suas frustrações pessoais. Julgava-me taciturna, propensa à infelicidade, a salgar as próprias feridas, para que doessem. Era verdade. Em tudo eu contrariava aquele filho que concedia honras à vida. Para tanto, lambuzava os amores fortuitos com mel. Atribuía-lhes uma grandeza que não tinham.

— Sou criatura de Deus, mãe. Sem essa filiação, o amor humano não resiste. Só Deus pode me emprestar a loucura do amor terreno.

A negra paixão impulsionava-o a vencer obstáculos, a pular muros, a arrancar mulheres das camas, onde simulavam dormir ao lado dos maridos.

Aquela febre Manuel abortou com o socorro das festas. O vinho subia-lhe ao mesmo tempo à cabeça e ao coração. Habituei-me, pois, a seus desatinos. Aquele filho, que era fino marceneiro, exercitava a paciência fazendo casas de boneca. Um ofício que contrastava com seu corpo, bela mistura de touro e de mistério encarnado em gente. Foi enterrado longe de casa. Não sei que fêmea lhe reclamou o corpo, como último ato de paixão.

Semana passada, pedi a Benito que viesse. Ele entrou na sala trazendo Sara. Custei a reconhecer a filha recém-chegada de Caracas.

A CAMISA DO MARIDO

— Vim-lhe fazer uma surpresa, mãe. Trago-lhe presentes da nova pátria.

Observei a estranha, que me falava com efusão. Se de fato era a filha Sara, para onde fora a menina que vi partir cedo para a América e que nos trazia agora ouro, incenso, mirra, personagens, nós, de um presépio sem vida?

— Surpresa faço-lhes eu. Vamos ao cemitério.

E tirei então do armário a sombrinha amarela, lembrança de uma quermesse, quando o marido, confiando na sorte, apostara no número 11. O prêmio fora a sombrinha, que só servia para uma mulher delicada. Aos domingos, enquanto o marido ainda vivia, a levava à igreja.

Sara constrangeu-se. Esperava uma recepção amorosa, mas era difícil para as duas retornarmos ao passado do qual fôramos expulsas. O regresso ao lar é sempre evasivo, em especial quando as paredes que guardaram outrora as evidências do cotidiano familiar já não estão mais de pé.

Sentada no banco da frente do carro de Benito, rendia-me à paisagem próxima. Nada me era estranho. Tudo me sussurrava que minhas entranhas e a vida íntima das plantas ocupavam havia séculos aquele hemisfério. As vacas, no pasto, descendiam de outras que conheci na adolescência. As árvores também foram contempladas pela minha grei já morta. Ali estivéramos sempre. Cada inverno prorrogara nossa presença naquelas terras.

Após a curva, a ponte. O coração contraiu-se. Quantas vezes, no verão, na temporada das festas, havíamos cruzado o monte a pé, até a casa da família? Sempre a pretexto de celebrar padroeiros, reis, soldados. Fartos, todos, de devaneios, de sardinhas fritas, de empanadas de bacalhau.

Benito acelerou o carro para vencer a subida. As águas corriam tranquilas debaixo da ponte. Refletiam o universo aldeão, modesto na aparência, mas atormentado por iras secretas. Faltava-lhe o horizonte a que se acostumara quem carregava no olhar as dimensões da América.

Quando meninas, nos escondíamos as duas por trás das lápides, com as pernas feridas pelos espinhos dos arbustos. O cemitério sempre foi nosso abrigo. Ali ninguém ia nos buscar. E o prêmio era o perfume intenso que emanava da natureza.

Então sentenciei, esquecida da presença de Sara, que já não fazia parte das nossas tradições:

— Ordenei a Benito que vou ser enterrada aqui.

Enquanto caminhávamos pelo cemitério, ele puxou a irmã para perto de si. Queria incluí-la no raio do meu olhar. Eu prosseguia:

A CAMISA DO MARIDO

— Ainda bem que sei onde vão me enterrar. Não me conformaria com uma sepultura emprestada pelo vizinho.

Sara começou a chorar como se já estivesse enterrando a mãe. Ciente de não estar presente no meu velório, antecipava as lágrimas, guardava detalhes para quando lhe anunciassem em Caracas a minha morte.

Alisei a tampa de pedra. O marido estava embaixo.

— Que ingratos somos com os mortos! Nunca providenciei ao menos uma planta que desse sombra ao marido.

Benito abriu a sombrinha.

— Eis a sombra, mãe. Não era a árvore que queria?

Sara parecia agora aliviada. Como se já tivesse se despedido da mãe.

Fingi não ver a guerra filial.

— As árvores em torno da sepultura deveriam levar o nome do pai, da mãe, do marido. E o meu, no futuro.

Não mencionei seu nome, Eugênia. Errei em privá-la dos direitos de herança. É que há muito nós a perdemos. Até Benito já não diz seu nome, e se impacienta agora, ansioso para que lhe transmitisse instruções a serem cumpridas em seguida a minha morte.

123

Confirmei-lhe que pedia pouco. Não queria flores, mas pedia o caixão de cedro guardado no porão, obra do filho Manuel. E, ao me trazerem até o cemitério, que reduzissem a velocidade do carro um pouco antes da curva, de onde se via o campanário, de modo a sentir, por uma última vez, o peito ferido diante da paisagem que amei acima de qualquer outra.

— Recomendo que, na hora da exumação, agrupem com cuidado todos os ossos encontrados na vala, como se fizessem parte de um único esqueleto. Depois, devolvê-los ao ninho onde estiveram em silêncio por tantos anos. O último gesto da família é cobri-los com meu corpo.

Pensei, irmã, que, depois da ressurreição do Cristo, havíamos de nos preparar. Não se pode extraviar um único osso. Mas cerrei a sombrinha. Temia que a rajada do vento danificasse as varetas. Eram ventos temidos, vindos do norte, que açoitavam os barcos pesqueiros, lançando-os contra as rocas do Finisterre. O rincão onde infortunados fantasmas reclamavam a sorte.

Sinto-me cansada, Eugênia. A respiração descompassada incha as minhas narinas. Empresta-me, por momentos, uma sensualidade que nunca tive. A velhice é mestra em cancelar ilusões. Resta-me

A CAMISA DO MARIDO

agora apreciar a horta do balcão. Não me esqueço de quando fez quinze anos. Ao meu lado, repartindo a mesma cama, você começou a arfar com suavidade, e às vezes estremecia por conta da brisa que vinha pelas frestas das janelas.

Fico longos dias sozinha. Quando careço de companhia, dependuro a toalha bordada, que usávamos na festa da padroeira, no varal de roupa, para que se visse da casa de Filomena. Ela adivinha meus apelos. Oferece-me sopa de peixe, que lhe trazem fresco de Pontevedra às sextas-feiras. Nos dias de festa, ela aguarda as mensagens dos filhos, longe de casa. Jamais reclamou do silêncio e dos presentes que não lhe chegavam. Ignoro se alguma vez perdeu-se nos labirintos da paixão. Consola-se enaltecendo meu filho Benito.

Explico-lhe os sacrifícios que fiz por ele. Na infância, sua magreza fazia-o facilmente tropeçar. Salvei-o por força do empenho. Ele me deve favores. O maior de todos, a própria vida.

O marido, com o olhar fixo no firmamento, enquanto tragava a fumaça do cigarro, recriminava-me por renunciar à comida em prol de Benito.

— Se Deus nos trouxe filhos, que nem pedimos, é natural que leve alguns de volta, para nos aliviar dessa carga.

Respondi:

— Filho meu só vai morrer longe da minha vista. Quando trocar o lar pelo mundo. Esse desafio hei de ganhar de Deus

Sara descreve os bibelôs de sua casa de Caracas. As cortinas da sala dão-lhe especial trabalho por conta da poluição. Fala indiferente a que eu lhe siga o pensamento. Afinal, de que sala e telhado está falando? Como espera que eu legitime sua vida, se não concebo um país fora dos limites da minha aldeia?

Ela insiste. Quer persuadir-me de que valeram os sacrifícios feitos. O ser humano é escravo das travessias. Só ancora de vez na terra sob os augúrios da morte.

— Por que então voltou após tantos anos de silêncio?

Cravei-lhe a faca no coração. Aquela mulher de formas arredondadas, os cabelos pintados, trazida por Benito, seria mesmo a filha do meu ubre farto?

Acolheu a recriminação com mansidão. Queria provar-me que pensava em mim a cada manhã, embora, na prática, o marido e ela tivessem que abafar os sentimentos. A mãe ignorava, decerto, as arestas da cidade. Ali, no campo, protegida, as próprias vacas traziam-lhe leite à porta, enquanto os porcos rendiam-se à fartura de suas obesidades.

A CAMISA DO MARIDO

— Nada lhe faltou nesses anos, mãe Quanto a mim, para comprar um simples vestido, naquela América, quase vendi a alma.

Ela queria provar que cada moeda conquistada levava o nome de um sonho. Pobre Sara. Ainda bem que Benito lhe fazia companhia, como que a protegia de mim. Também ele mente para a irmã. Fala-lhe dos negócios em ascensão, pensa até em retirar-se, voltar a pescar, como quando era menino franzino. Talvez vir para perto da mãe.

Não me olha. Confia na minha reserva. Mas se Benito mente, Sara imerge igualmente na fantasia. Carecia a vida de ser assim monótona, Eugênia?

Na última carta, você nada me disse da viagem que os filhos lhe prometeram. Não sei bem por que queriam levá-la à África, para ver de perto como vivem esses povos escuros e exóticos. E esqueceu-se ainda de me enviar o retrato da casa, de modo que eu a imagine movendo-se entre os móveis, do quarto para a cozinha. Mas convida-me a visitar essa casa, e as outras, sem precisar a data ou dizer exatamente onde fica. Diz que teria prazer em receber a irmã que segue vivendo no lar onde ambas nasceram, todas do mesmo sangue.

Benito ludibria Sara com falsa alegria. No fundo, sei que reza para ela deixar logo a Espanha. Teme a polícia vir de repente ao seu encalço, o nome nos jornais, outra vez acusado de práticas criminosas. Diz:

— Fale a Sara da tia Eugênia, que foi sempre tida como a mais bela moça das redondezas.

Observo os filhos. Envelheceram. Seria fácil convencê-los do primado da beleza e que, portanto, também eu fora bela, que disputava o cetro com a irmã. Mas não posso. Os anos me fizeram nostálgica, e qualquer evocação me dói. Não há consolo nos dias crepusculares.

— Éramos pobres. Eugênia não tinha um só traje elegante nem se perfumava como as princesas. Seus gestos, no entanto, despertavam inveja e arrebato. O próprio nome era de rainha.

Eu mirava o prado enquanto falava. Na primavera, tudo parecia nascer das mãos de Deus.

Sara examinou o rosto do irmão, feio como o dela. Saíram ao pai. Ambos, porém, iludiam-se com uma simetria que os embelezava. Ela perguntou:

— O que foi feito da tia?

Fingi não ouvir. Trouxe da cozinha fatias de pão e chouriço. Uma jarra de vinho saído do tonel que ficava no porão. Raramente distraía visitas com tais iguarias. Sara tinha fome e, com a boca cheia, insistia em apossar-se das lembranças que eu guardava

A CAMISA DO MARIDO

da irmã. Indiferente a minha sorte, atravessara o Atlântico só para me golpear.

Solidário com a mãe, Benito praticamente instou a irmã a partir. Não convinha extorquir esperanças. A mãe envelhecera e já não tinha muito a dar. Mas Sara não se movia, entretida com o lanche. Seguia cobrando parte da herança.

Na sala, lá estava o retrato amarelado do marido. Sara não lhe deu atenção. Só queria saber de você, Eugênia. Talvez planejasse visitá-la, recolher na própria pele o sol mouro da África, que de Andaluzia se tocava com o braço estendido.

Desafiei a filha:

— Eugênia comigo é um livro aberto. Me dá seguidas provas de amor.

Em seguida, acerquei-me da porta de saída, quase pedindo àquela alma crispada que nos deixasse.

Benito assentiu com a cabeça. Garantia-lhe que, entre os membros daquela família, especialmente as duas irmãs, não havia segredo. A chave que abria a porta da casa descerrava também seus corações camponeses.

Sara irritou-se. Viu-se expulsa da casa pela própria mãe. Queria vingar-se.

— Mas é verdade que a tia Eugênia ainda vive, ou limita-se a mandar-lhe cartões na época de Natal?

Quase fui ao chão, mas Benito me amparou. Pensei não resistir à estocada. Sara, porém, se precipitou e me trouxe o copo de vinho ligeiramente ácido. Ao sorver as primeiras gotas, temi voltar à vida. Valia a pena? Perdera razões para seguir com a minha história. Afinal, Eugênia, há quantos anos lhe escrevo sem saber para onde enviar estas longas cartas? Há quantas noites penso em nós duas, meninas, tangendo as ovelhas montanha acima, embora me convença de que cada carta depositada na gaveta da cômoda correspondia a uma resposta que de fato escreveu, ainda que não tenha chegado as minhas mãos? Cartas em que, ao se confidenciar comigo, afirmava que sua beleza por milagre se reproduzira na neta. De modo que, para recuperar a própria juventude, bastava-lhe trazer a neta até junto do espelho e atribuir a si mesma a harmonia perfeita que a jovem refletia no cristal.

Sigo pensando em você como se ainda seguisse ao meu lado. Estou certa de que vive e de que minhas cartas, ainda hoje acomodadas no calor da gaveta, chegam ao seu regaço graças ao sopro indivisível do meu capricho e do meu afeto.

Sara aproveitou-se de minha súbita prostração:

— E qual é o endereço da tia?

Tirei da gaveta um papel amassado. Li, com esforço:

A CAMISA DO MARIDO

— É longe daqui, mas não é impossível chegar. Eugênia mora no Alhambra número 35, bem no coração de Granada.

Sara não anotou o endereço. Começara a escurecer. Confessou que partiria no dia seguinte para Madri, a caminho de Caracas.

— Foi bom ter vindo, mãe.

Sentia-se aliviada.

Benito dirigiu-se ao pátio, apressando as despedidas. Aceitei o abraço da filha. O cheiro inócuo, sem memória, do seu corpo. Prometeu regressar em quatro anos. Jurei para mim mesma que não estaria mais aqui para recebê-la.

Benito temperou o meu espírito:

— Mande lembranças para tia Eugênia.

Prometi ao filho que lhe escreveria pela manhã. É o que faço agora, Eugênia, após tomar a sopa de pão embebido do leite quente. Cada palavra que lhe escrevo fica no papel que vou dobrando dentro do envelope, para me iludir com a certeza de suas mãos tremerem de emoção quando, acomodada na cadeira de balanço, esticar a folha preparando-se para a leitura. Então, há de sorrir como na tarde em que confessou estar pronta a nos deixar para sempre. Chegara o instante de abandonar a casa, a aldeia, os afetos. Terras estrangeiras a estariam aguardando.

131

NÉLIDA PIÑON

Iluminada pelo brilho daquela longínqua primavera que apenas iniciara, você me disse:

— O sonho nunca está ao alcance da mão.

Fingi, então, que não sofreria com sua partida.
Pois, sendo a terra redonda, seria fácil caminhar
em frente até encontrá-la, onde estivesse. E é o
que faço hoje, agora, a cada dia desses longos e
intermináveis anos.

A QUIMERA DA MÃE

A viagem é sempre a mesma. Abandonar um lugar para um dia chegar a outro. E, mal chegar, aprontar-se para partir de novo. O alvo desta vez seria cumprir a rota sentimental da mãe. Ela própria confessara, em momento de descuido, que tinha o coração repartido em muitos pedaços. Embora vivesse no Brasil, aspirava seguir para longe, instalar-se em algum rincão da Europa, de preferência em cidade de temperamento dramático, onde pressentisse existir secreta pulsão pelos amores fadados ao fracasso.

Uma tendência que eu respeitava, talvez porque o amor tivesse um timbre de falsete. Desde pequeno eu vira os vizinhos se separarem, o homem partir e a mulher gritar que o vagabundo a deixara por conta de uma puta, mulheres para quem a outra era sempre a Messalina que viera de Roma para desgraçar a família. Lembro que, justo naqueles dias, aprendera que a imperatriz tinha as vísceras em fogo e repartia sexo entre estranhos.

A mãe, contudo, nunca dera nome ao suposto lugar de sua quimera. Sequer admitira que existisse. Vai ver era sua Shangri-Lá. Vira em algum filme monges do Tibete que asseguravam existir a felicidade humana. Eu não sabia como defender a memória da mãe, para nada se lhe perder. Como lhe fazer a vontade no futuro? Eu a examinava. Era um ávido investigador de gestos, apto a lhe descobrir os segredos. Até surpreender, certa tarde, em um papel de pão, escrito em letra miúda, como que nascida de um desabafo, a palavra Porto.

Ela me servia o café e o pão com manteiga, atos do cotidiano, mas nada lhe disse. Traía-a para não a intimidar. Não a queria constranger com minha descoberta. Suspeitei, porém, que a cidade portuguesa, açoitada pelo frio do norte, cortada pelo Douro, fora a escolhida para cenário de suas quimeras.

A mulher era, no entanto, imprecisa nos registros, desde o corriqueiro, como o rol de roupa e os tomates que lhe faltavam, até quando declarava amor pelo filho. Suas confidências não obedeciam a uma lógica que seguisse sem bater em porta errada. E à noite, ao

A CAMISA DO MARIDO

nos reunirmos na varanda da casa, ela monologava sem garbo, dispensando meus apartes. Esquecida de minha companhia, parecia feliz. Ela própria se bastava. Mas, ao longo do relato, certamente fruto da fantasia, misturava épocas, personagens e livros, em obediência ao mesmo molde. Referia-se ao século XIX só por conta do interesse que tinha pela rua da Carioca, aonde ia às vezes com a esperança de ver homens de cartola, roupa de algodão pesado, a despeito do calor. E, de repente, sem averiguar se ainda a acompanhava, retrocedia com igual naturalidade ao tempo de Inês de Castro, a desconsolada amante, rainha depois de morta.

Chamada de Manuelinha pelo pai, havia muito falecido, ela enaltecia os ideais dos personagens abatidos pelos descalabros do amor. Com palavras evasivas, sua atração pelo drama revelava-se mediante o olhar cintilante, o braço que se estendia em direção a alguém só visível a ela, para recolhê-lo depois ao regaço, onde sua sofreguidão se concentrava.

Em nome do amor, que pretendia não haver jamais vivido, nas horas livres esgotava os livros da estante. E, como nem esse esforço lhe saciasse o apetite pelos desenlaces tristes, obtinha, junto aos vizinhos, novos títulos em troca da palavra penhorada.

O amor literário, que emergia da sua fabulação, levava-a a homenagear heroínas que perderam vida e honra em nome de uma paixão que as despojara do cetro do lar. Seria essa espécie de desmando devida à figura do esposo que desaparecera da casa sem avisos? Um português de bigodes fartos, com semblante desgostoso, que teria, quem sabe, regressado a sua aldeia, quase à beira do Minho?

Não lhe cobrei satisfações pelo desaparecimento de meu pai. Tentei ignorar seu apego à traição conjugal, e isso porque, entre tantos outros temas, aplaudia a perda da honra, defendia o amor incondicional, sempre que o assunto vinha à baila. Acaso aquela rendição moral diante da paixão, ainda que puramente literária, fazia parte de sua opção de vida?

Nunca a quis melindrar. Pretendera ela sempre que, em suas diligências cotidianas, além de trazer a comida para o lar, pudesse um dia ser feliz. E que, em futuro próximo, desfrutasse pessoalmente daquelas paisagens onde os amores, germinados em seu coração, haviam prosperado sob o impulso do malogro.

Antônio Frutuoso, que desaparecera de nossas vidas, era o nome de meu pai. E, pelo que descobri mais tarde, não estranhara no início a atração da mulher pelos amores ardentes. Ao contrário, festejara

A CAMISA DO MARIDO

aquelas leituras que talvez lhe esquentassem o leito. Decerto, terá sido algumas vezes favorecido pelos impulsos de minha mãe, quando esta o confundia com personagens que flutuavam em sua imaginação.

Por isso, ele jamais censurou que a mulher, ocupada com os livros, se atrasasse com os afazeres da casa. Julgava muito natural que, estando ela no mundo, elegesse a seu alvitre as peripécias amorosas que a sociedade repudiava, sem suspeitar, na ocasião, que a tragédia, a rondar-lhe um dia a casa, lhe impusesse o dever de fugir. Mas terá sido desse modo o que ocorrera entre os esposos?

Após a súbita partida de Antônio, Manuelinha vestiu-se de negro, para que os vizinhos se convencessem da morte do marido. Por meio desse artifício, afugentava a suspeita de haver ele embarcado às pressas no *Serpa Pinto*, aquele barco apinhado de portugueses, antes de desaparecer na linha do horizonte, tragado pela bruma e pelas correntes alísias. Seu luto, que reverberava no verão carioca, terminou por acentuar seus rasgos românticos.

A partir dessa deserção conjugal, o sorriso da mãe, que esmaecia nos lábios, revelava certa astúcia. E eu me arguia sobre por que esconderia sua devoção ao pecado, se já não tinha a quem prestar satisfações.

Ela, porém, foi sempre assim. Deixava transparecer os sinais externos da vida, em troca do próprio enigma, tanto que, quando lhe foram aparecendo rugas e fios brancos cravados na espessa cabeleira negra, aceitou resignada. Pois o que lhe dava prazer era deixar a casa e retornar horas depois, trazendo, como se fora regalo de um estranho, um queijo de minas, pão fresco, para comermos junto ao café coado na hora.

Já crescido, para ajudar com as despesas, fui trabalhar em uma fábrica sediada na rua do Lavradio. Enquanto a mãe cultivava amores vazados pela seta do sofrimento, tornei-me um compulsivo andarilho. Devorava paisagens, sobrados, rostos aflitos, cruzando ruelas e avenidas do Rio de Janeiro.

Certa tarde, à guisa de presente, trouxe-lhe um folheto de viagem da Wagon Lits. Dedicado à cidade do Porto, o caderno colorido supria-a com mapas e informações, um lugar real, onde localizar os amores de sua imaginação. E como que lhe dizia que o filho, levado pelo afeto, atribuía-lhe mistérios, solidarizava-se com o que a levara a emocionar-se com tantas vidas destemidas, sempre em perigo.

Quantas vezes terá lido o *Amor de perdição*? O livro de Camilo Castelo Branco, quase desfeito, percorria os rincões da casa, embora não o lesse

A CAMISA DO MARIDO

fora do quarto. Às vezes, pousado sobre o fogão, acariciava-o, criando a ilusão de que as palavras em fogo do escritor português lhe acendiam as chamas, aqueciam a comida. Ali, Teresa e Simão, personagens do romance, de tanto padecerem da penitência do amor desmedido, seguiam-na em permanente romaria.

Um dia, perguntei-lhe se já descobrira no mapa do Porto a rua do Café Guichard, onde Camilo, junto a outros escritores, entretivera-se com arrebatadas tertúlias. Ela meneou a cabeça, esforçando-se por imaginar em que instante Ana Plácido, ao contemplar o jovem romântico, devotara-lhe uma paixão que trazia junto o germe da traição e da desgraça.

Esses exercícios maternos atribulavam-me a existência. Também eu aspirava por tais idílios conturbados. Trazia-lhe então, da biblioteca, livros com os quais a mãe desenvolvesse seus pendores naturais. Alguns, ilustrados, permitiam-lhe que, de repente, em meio às fotos, visse os vultos de Camilo e Ana Plácido ingressando na cadeia da Relação, quem sabe algemados. Iam cabisbaixos e humilhados, ignorando o rumo de suas vidas, quando enfrentassem o tribunal encarregado de julgá-los.

A mãe, contudo, jamais relacionou o drama daqueles amantes com a sua própria vida. Seguia-os por crer que o amor, em frangalhos, sem dúvida o de melhor cepa, era o único a incendiar a imaginação amorosa. Aliás, a sua pupila, em fogo, surpreendia-os igualmente, sob a custódia do infortúnio, na bela Gaia, às margens do Douro, a contemplarem a Ribeira, uns instantes antes de galgarem as Escadas das Verdades, em busca do refúgio do paço episcopal.

O coração da mãe cerrava-se à medida que envelhecia. Sem me permitir avançar por ele, seu coto privado, eu crescia e prosperava cauto em relação ao amor. Defendia-me com punhos da insídia dos afetos e dos raios da carne, que não me deviam fustigar.

Certa tarde, um amigo chegou ao escritório com a intenção de confiar-me a guarda de uma garrafa de vinho, um Porto Vintage, que eu aprendera com os anos a valorar. Sua voz solene autorizava-me a abrir a preciosidade, caso, com tal gesto, fizesse alguém feliz. Umas palavras que me aturdiram, faltando-me forças para entender o enigma proveniente daquele regalo.

A garrafa do Porto, de lagar nobre, incorporou-se ao patrimônio da casa. Deitada sobre o aparador da sala, à vista da mãe, assemelhava-se a um totem a recolher compassivo a poeira do cotidiano. E parecia-nos, esse vinho tão admirável, que se ele, de repente, se rompesse no chão, facilmente se converteria no milagroso sangue do Cristo.

A CAMISA DO MARIDO

Durante longo tempo ambos resistimos à tentação encarnada naquele Porto. De verdade, faltavam-nos pretextos para pensar que poderíamos transformar a realidade em rara ilusão se nos atolássemos no mar da esperança. Mas, no domingo de Ramos, a mãe apresentou-se com o único vestido que lhe sobrara do falso luto do pai e sentou-se na poltrona, decidida a ficar ali até o fim dos séculos, a folhear o seu *Amor de perdição*. Para minha surpresa, como se me obrigasse, antes de sua morte, a interpretar ferozmente a epifania de seus sentimentos, lia o romance pela primeira vez fora dos limites do quarto.

Amedrontado com uma mãe cuja ciência da vida concentrara-se nos amores fracassados, para quem as emoções, vizinhas da alegria, terminam por afugentar as almas do seu epicentro real, decidi dar-lhe combate. Preparei-me para deixá-la por algum tempo, a menos que confessasse, me fizesse ver de onde afinal eu surgira, como seriam os recônditos meandros daquela criatura que me gerara.

Tomei da garrafa de um vinho com idade superior a cinquenta anos. Não dispunha de tenazes que, aquecidas, rubras, eu fixasse em torno do gargalo, abaixo da rolha, para dar andamento a um processo que a sacasse sem danos. Eu não nascera para ofícios tão finos. Contava somente com o desejo brutal de aliviar a mãe de sonhos que lhe vinham descarnando o corpo sem, em troca, fazê-la sorrir.

Servi-lhe no copo de bojo redondo, cujas paredes, estreitando-se até a borda, permitiam que o aroma avançasse pelas narinas da mãe, sempre na expectativa de que ela, mediante a arte da esperteza, cedesse terreno, admitisse sua derrota.

A mãe, Manuelinha para o pai, sorveu a essência dos deuses primeiro que eu. Chegara a hora da verdade. Quem de nós se salvaria primeiro? Ou seria tarde para ambos? Seguimos bebendo e pousando o copo na mesinha baixa. Voltei a encher os copos de pé longo. Não havia balizas para a felicidade buscada. E assim continuamos, sem pressa. Nenhum de nós estava seguro quanto aos resultados daquela empreitada. O fato é que embarcáramos para cumprir um roteiro havia muito iniciado. E, ainda que não quiséssemos admitir, já elegêramos o companheiro de viagem.

A DESDITA DA LIRA

Terá sido mania de grandeza haver cantado a descoberta do caminho marítimo para a Índia, fazendo de Vasco da Gama herói acima da medida humana e lhe mencionando os feitos como se a falar de mim?

Passeio por Lisboa com o coração amargurado. Tudo me lanha. Estou gasto. As botas levam furos na sola. Os sinos tocam. Logo vão dobrar por mim, ou por alguém melhor que eu.

O escravo, de nome Felisberto, abre-me caminho. Tem gosto em anunciar que, apesar da aparência modesta, o amo é de alto coturno. Há história que ele, embora negro, trazido de África, sabe contar pela metade. A ponto de poder afirmar, com certa arrogância, na solidão das noites que o unia a mim, que o seu senhor venceu as distâncias que o separaram das utopias ultramarinas, que frequentou outrora o Terreiro do Paço, que confabulou com d. João III e que, em longo poema, chamado *Os Lusíadas*, assinalou os barões lusos.

Também assegura, às escondidas do mestre, que, além da fidalguia visível em seu todo, triunfou no amor e nas batalhas militares. E por que não haveria de misturar amor e o sangue dos mortos nos campos de batalha? Na Índia, por exemplo, ele pôs a mão no ouro das palavras, como um genuíno poeta, desses que ditam nas feiras versos em troca de moedas. E não foi, eu não fui, segundo o escravo seguia dizendo, como tantos, um velhaco. E, ao ouvir sua litania, lembrei-me de haver descrito os feitos humanos com a tinta da posteridade.

Lá vou vencendo a paisagem que tenho à frente. Lisboa e arredores. Pretendo ignorar as mentiras e mesmo certas verdades que Felisberto propaga sobre minha pessoa. Nada do que diga me regenera ou me traz a salvação. O sol, sim, é inclemente. O cheiro das ruelas de urina e excremento chega-me às narinas. Envergonho-me, então, de ser quem sou, parte desse charco. Abaixo a cabeça para que não me vejam, para não ser tido por quem já não sou. Não fui o único a beber das águas do rio Lete, que força a esquecer. Convém ao mundo português

A CAMISA DO MARIDO

me esquecer. Que não me outorgue mínimo traço de glória.

Na velhice, nada espero. Às vezes, encurralado na água-furtada do meu quarto, contíguo à sala onde o escravo dorme, assalta-me a esperança de tomar da pena e declarar que jamais estive na Índia. Ou que, havendo estado ali, pronto a abandonei, movido pela extrema pobreza. Talvez pudesse promover mudanças no meu *Os Lusíadas*, dando, por exemplo, relevância ao trecho em que menciono o Brasil entregue a Martim Afonso de Souza, que, sob as benesses dos trópicos, em obediência ao rei, dividiu aquele território em capitanias e ali plantou o que fizesse falta ao reino. Tal esperança solapa-me a alma. Mas como exaltar o Brasil se à época me faltou inspiração? E se jamais pus os pés naquela terra? Destilo raiva por conta dos meus desacertos. Embora fosse aceitável o que disse do Brasil, onde, segundo consta, mal se balbucia a língua lusa, não seria o mesmo como discorrer sobre Portugal. Sem dúvida aquela terra é desprovida de vícios e terrores comuns na corte portuguesa. Pelo feitio novo, a imaginação se ajusta a um molde singular. Acaso estarei equivocado, ou simplesmente aspiro, por meio do meu poema, não tanto a celebrar o Brasil, mas a vingar-me dos invejosos que jamais me perdoaram o fogo que, enquanto me acendia, apagava seu brilho? Ah, com quantos nacos de minha carne paguei os dons espelhados na minha poesia?

Mas também, que epopeia tecer a esta altura, quando nem a lírica, mais condescendente, soube retribuir a minha pena? Além do mais, o mundo é maior do que pensava. Cheguei a crer um dia que Massília representasse praticamente o continente africano. Se assim foi, por que não haveria de crer que o Brasil, que já teve outros nomes, era uma terra que nenhum aventureiro conseguiria vencer a cavalo em uma única vida?

Não voltarei mais a escrever. Falta-me o vigor poético de transformar o banal no voo esplêndido de um pássaro airado. Mas, caso os deuses me redimissem, e antes que a poesia heroica me abandonasse, usaria a forma de carta para expressar a singularidade daquelas terras. Aliás, recordo que, ao escrever no Canto X a palavra Brasil, senti um sobressalto, como uma espécie de indecifrável presságio.

A cidade parece-me inóspita, suja e desesperada. Nada posso fazer. Sou parte dela. Onde estão as damas que fizeram outrora meu desejo acender a lira do corpo e o verbo soltar-se? A caminho agora do convento, levado por Felisberto, unido sempre à minha sorte, indago-me se foi Lisboa fundada por

A CAMISA DO MARIDO

Ulisses, versão que se atribui ao herói que, após desfrutar de Calíope e Circe, regressou a Penélope exalando, quem sabe, o olor do Tejo e do Atlântico. Foi sempre assim a mania do povo luso de engendrar lendas pejadas de milagres. Afinal, para que trazer de longe um herói, quando dispomos de tantos? Não bastou os fenícios haverem fundeado seus barcos no ancoradouro onde se ergue hoje a Torre de Belém?

Nesta manhã cinzenta, lembro-me de d. João III. Apesar de pio, trouxe-nos o monarca a Inquisição, que combatia os hereges queimando-os no Rossio, em fogueira pública. O cheiro da carne carbonizada perseguiu-me as narinas por longo tempo, só me largando o olor ao absorver as essências orientais.

País raro, o nosso, por cujos disparates respondemos todos. Não me sinto isento de culpa por haver, entre outros, instigado d. Sebastião a combater os muçulmanos de Marrocos. Ter-lhe-ei oferecido a mortalha que lhe há de servir como uma luva em Alcácer-Quibir? O pior é se o rei nos morre sem deixar herdeiros. Como viveremos essa tragédia? Dizem dele que, à mercê das intempéries da corte, envolve-se com a feitiçaria. E por que não, se nos convém estarmos todos sujeitos aos oráculos e aos profetas que, ao predicarem em nome dos deuses, apontam-nos a franja da salvação?

Sobre o rei murmura-se nas praças. Embora ninguém acredite que algo lhe passe, a tristeza lusa é desmesurada. Consola-se com a melancolia e com a ausência de quem seja e que simplesmente nos faz chorar. Também eu me sinto acometido da mesma dolência, razão de caminhar a esmo, querendo ver, mas sem ser visto. Antigamente, no entanto, a fim de seduzir as raparigas nas ruas escarpadas, ou agarrado no peitoril das janelas, prezava em ser observado. Em especial, escolhia a madrugada para galgar muros e tentar chegar às alcovas onde vergava uma carne de mulher cujo rosto nem via. Só o sexo enxergava e tinha memória. Em seguida, fugia às pressas da Alfama, com temor de me perseguirem.

O escravo indiano é fiel. Após forcejar com os comerciantes que lhe reduzam os preços, traz-me da praça da Figueira nabiça e sebo de carneiro, quando, de verdade, apetecia-me comer umas sardinhas na brasa. Graças a ele revigoro-me e posso seguir pelo Carmo, cuja encosta é para jovens. Sofreio a respiração, mas logo me detenho, ofegante, simulando meditar, no meio da ladeira, sobre o bem e o mal, sobre o que ficou para trás. Para onde irei daqui? As memórias, em vez de me devolverem a luxúria, entristecem-me. Os amores tidos não me ajudam a viver. Nenhum se ajoelha ao pé do catre e me salva

A CAMISA DO MARIDO

com um caldo embebido de pão. Depois de tantos anos na Índia, dou-me conta de onde provêm a cor morena, os cabelos negros de tantas portuguesas que passam perto sem trocar comigo olhar que nos comprometa. Decerto dessa presença árabe que fortificou o sangue português, já por si miscigenado.

Ontem, no convento de São Domingos, em busca de comida e de comiseração, jovem frade, ao dirigir-me a palavra, insinuou admirar-me, não compreendendo o motivo de encontrar-me em tal penúria. Por vergonha, não lhe disse que esses malditos funcionários, contrariando ordens de d. Sebastião, que me agraciou com uma tença real, furtam-se a entregar-me os quinze mil anuais a que tenho direito. Tentei algumas vezes que me pagassem, antes de morrer. Afinal, *Os Lusíadas* já saíram há uns sete anos, e minha miséria agrava-se a cada dia. Com cinquenta e seis anos, quantos mais terei?

Acabrunhado, na água-furtada, a vida me magoa. Já não sei por que escrevi que o amor é um fogo que arde sem se ver, ferida que dói e não se sente. Fui insensato em conferir tais delícias a esse sentir que devasta a alma e não me socorre em meio ao desalento. Esses amores, afinal, expulsaram-me de Portugal. Tornaram-me um aventureiro que perdeu o olho direito lá no cerco de Mazagão, numa refrega com os mouros. Agora, mal enxergo, e, não fora o escravo, recorreria ao cajado para caminhar.

Aliás, os feitos humanos terminam por nos humilhar. A glória mesmo é maligna, arrasta-nos ladeira abaixo. Eis-me à mercê da indiferença do rei, que não me quer ver, e sem cortesão que me defenda. No entanto, no vigor da idade, supliquei às ninfas que, diante do Olimpo, acolhessem um projeto humano e me guiassem o fervor poético para concluir condignamente o último canto do poema dedicado aos lusos. E, para prosseguir com o labor que cobria as aventuras portuguesas alhures, aos poderosos prometi a glória. Cortejei igualmente a d. Sebastião, um rei fanático da utopia e da fé, cujas vaidade e noção de invencibilidade faziam-lhe crer que podia chegar às muralhas de Jerusalém e vencer os mouros. As musas, afinal, me atenderam, mas, por haver confiado no prestígio do meu poema, hoje estranho a velhice, estranho a miséria, estranho Lisboa, em especial depois que a corte se instalou no Terreiro do Paço, surgindo em torno palácios e sobrados, uma paisagem que não vi nascer.

Distante de Portugal por mais de quinze anos, os fidalgos ostentam o poder montados na garupa dos cavalos ou nos fiacres que cruzam becos e travessas. O traçado urbano desafia minha pobreza e os ricos

A CAMISA DO MARIDO

me desprezam. Guardo, então, o meu corpo junto ao calor dos pobres. Entre nós não há alarmante diferença, fedemos por igual. Sobretudo na Alfama, as áreas acabrunhadas exalam suor, enquanto ouço o povo a cantar, a dedilhar o alaúde de origem árabe.

Em benfazeja lembrança, recordo que amei o Mondego. Em suas águas afaguei a galega Inês, supliciada pelos inimigos do amado Pedro. Naquela Coimbra perversa e jovial, fui feliz, abastecido com regozijos antes de dias aziagos me levarem a Lisboa e me imporem a sorte de trilhar a rota de Vasco da Gama. Mas que herói é esse que nos conduz ao martírio faustoso? Que nos enseja a dar vazão à crueldade e à valentia destemida?

Na calada da noite, destempero-me. O escravo, que dorme ao meu lado, trouxe-me a notícia de estarem os portugueses cercados pelos mouros. Talvez o rei sucumba, mas não chorarei sua morte. Estou cansado das tragédias que arrastam inocentes em sua rede, de heróis que omitem os nomes dos que se sacrificaram por eles. Exausto de poetas, entre os quais me incluo, que vangloriam os poderosos em detrimento dos pobres. Se falecer o monarca em Alcácer-Quibir, logo virá Felipe II cobrar os despojos. Tendo à frente o duque de Alba, reclamará seus direitos ao trono português. Como resistir ao assédio espanhol?

NÉLIDA PIÑON

A Plínio cito com frequência por confiar em seus acertos. O romano, como eu, incorreu em erros por seus excessos. Eu, porém, mereço perdão, pois o equívoco beneficia a fantasia do poeta. E que diferença faz acertar, quando falo das maravilhas de Goa, da crueldade muçulmana, dos lendários lusos? Nesse caso, quem se equivoca: eu ou meu poema? As palavras não têm que acertar. São meras prisioneiras do peito acorrentado a um sentir fugaz que não sabe de onde veio e para onde segue.

Quando Plinio localiza Hieripólis à beira do golfo de Suez, a que os antigos conferiam outro nome, concluo o pouco que sabemos do nosso ofício. Arrependo-me de haver jactado da minha sabedoria e do conhecimento da cultura grega, junto às jovens e aos cortesãos. Como castigo, meu outono avança veloz e o estio já foi vencido. No passado, questionei se chegaria ao inverno da vida nesta desolada Lisboa, sem amigos e familiares. Como ser poeta, se ninguém me aplaude, com exceção de Saraiva, que me encaminha palavras de alento? Que tristeza ser português. Que amargura ser europeu. Que desgraça ser um homem.

Percorro o Terreiro do Paço. Fujo da visão do palácio e amordaço a boca para não incorrer em atos de loucura, enquanto o povo regateia sem adquirir

A CAMISA DO MARIDO

o que precisa. Não me esqueço dos adversários que me indispuseram com o rei, expulsaram-me dos pátios, das alcovas das damas, lançaram-me ao norte da África e à Índia, da qual regressei mais tarde. Para dissuadir minha desventura, mudo de direção, serpenteio a colina, ultrapasso os vestígios da antiga muralha. Acabrunhado, penso nas figuras lusas, efígies no meu poema.

Não saio à noite para não gastar o azeite dos archotes. À luz do dia, lá está o Alcáçova, no miolo da cidade. Ao descer, já ao pé da colina, contorno a Sé, precedido pelo escravo. Próxima às paredes de pedra, outra igreja, onde santo Antônio teria vivido. Por todos os lados os santuários afirmam a crença portuguesa. De onde estou, contemplo a abóbada do Carmo e, embora fraqueje, tomo a via da Baixa. O Rossio enreda-me, tem pernas de polvo, não me deixa prosseguir. Sob as arcadas, os tabuleiros e as mercadorias expostas confundem-me os passos. Felisberto, contudo, não me deixa tombar. O formigueiro humano mortifica-me, mas esquenta-me no inverno, à falta de moedas para o braseiro. Os pecados, no Rossio, se aquecem também na estufa do sexo. Sob a vigilância dos dominicanos que farejam algum teólogo inimigo, olham-se uns aos outros na expectativa de fornicar.

NÉLIDA PIÑON

Deambulo pela zona. Simulo balançar-me dentro do cabriolé ao qual se atrela um par de cavalos. Ao cocheiro, que existe na minha imaginação, ordeno evitar o palácio da Inquisição, fachada de lúgubre memória. Ali, embora o mundo careça de heresias, o inquisidor-mor julga que a liberdade de pensar merece sentença de morte.

Neste domingo, atraído pela superfície prateada do Tejo, desço à orla. No passado, ao frequentar as tabernas da praia, ouvia de longe os alaridos da carne saciada. Ao assomar agora às águas, banho os pés e iludo-me em estar subindo à mesma nau que me levou à Índia. Experimento, então, a agonia do naufrágio na costa do Camboja, em que estive a pique de perder os manuscritos do meu poema, salvos por milagre, e onde soçobrou a escrava Bárbara. Antes tivesse eu sucumbido. De que vale tanto denodo se não me reconhecem os méritos, se ninguém me cede benesses? Pois, ainda que na intimidade não seja poeta, ou leve os trajes com que os demais me vestem, ressinto-me por não receber óbulos pelo que fiz por Portugal, que me tem como morto. Vítima dos insolentes, analiso a pobreza do povo pelas roupas estendidas nas janelas. O lençol puído, à vista de todos.

Tenho o coração trôpego, como as pernas. A miséria do meu lar, que recende à gordura, expulsa-me

A CAMISA DO MARIDO

para o beco, onde sorvo o cheiro do tabaco em rolo, vindo do prédio da Alfândega. Quase vizinha, a cadeia dos forçados aflige-me. Ali pernoitam essas criaturas que, durante o dia, carregam água e lenha para os barcos de guerra. Finjo não ver o Limoeiro, quando por ele passo, ou o Tronco, onde o rei certa vez me aprisionou. Cruel Lisboa que abriga tantos cárceres. Mas me calo. Sou cronista que detalha o que vê. Não sou mais poeta. A poesia perde-se do mundo quando se distancia de suas fontes, e já não sei onde está o córrego do rio que me dá de beber. Para o cronista, a poesia aninha-se no pão, no cotidiano modesto, na paisagem. Não consentirei que as ninfas, irritadas com meu silêncio, forcem-me a cantar de novo a grandeza da pátria.

Pelas ruas empedradas, perambulam beatos e milagreiros, que rezam levando no lombo o santo de seu fervor e que respondem com refrãos quando um incauto lhes fala. Nas colinas de Lisboa, sentem-se todos mais perto de Deus. E, ao reclamarem o prêmio que as orações solicitam, basta que estendam a mão para colher o fruto do pomar de Deus. Comprometidos, no entanto, com o desespero da prece, os portugueses derramam lágrimas quando alcançam uma graça. Quanto a mim, ignoro o significado da esperança, o beneplácito da fé. No escuro da água-furtada, miro o escravo através da tênue chama da lamparina. Resisto a invocar as ninfas, ora de mãos dadas com os amantes, e a ficar-lhes devendo além do que me terão dado no passado. Por intermédio delas, e de engenhosas analogias, descrevi a ilha dos amores, revelei-lhes as profecias de Proteu, sentei Gama à cabeceira do banquete, cobri-o de iguarias e regalos, enquanto na minha própria despensa não há sobras do ágape português.

Mas que disparates teceu-me a fantasia a pretexto de favorecer Vasco da Gama, o almirante que nos abriu a porta do mar para singrarmos o Índico? Por conta desses desvios, que a poesia perdoa, ofertei mimos e metáforas a Calíope e entoei glórias ao futuro de Portugal. No ofício de poeta, facilitei que Tétis mostrasse a Gama a máquina do mundo, constituída, segundo Empédocles, dos quatro elementos, enquanto urgia à ninfa que Gama visse por onde seguia, o quanto nos distanciávamos do universo regido por esse deus de concepção insondável. E que, ao fabricar ele essa máquina perfeitamente limada, indicativa de estar esse deus em cada coisa, tudo existia em função sua. Terá sido assim como ora descrevo, ou, esquecendo pormenores do poema, confundo agora os deuses gregos com o deus cristão?

A CAMISA DO MARIDO

Ao alongar-me no Canto X, o poeta e o marinheiro se acercam do mistério cuja voragem arrasta os heróis e traz-me de volta a Portugal. Às ninfas deixo entrever os frutos da desesperança, ansioso por saber que vulto sinistro fiz regressar a esta ilha dos Amores que é Lisboa, cercada de escombros e memórias, e que ora me acompanha. O que sobra, então, em mim de *Os Lusíadas*?

Confesso também, a quem me escuta, meu descrédito pela minha própria lira. Assim dito, já não pretendo mais entoar loas ao rei e à corte. A penúria em que vivo é o único poema que hei de urdir. Quem merece o que persiste em mim de poeta? Sobre que terras erguer a pluma com cruel realismo e revelar as feições enganosas da poesia? Estaria a minha verve à altura do Brasil, sobre o qual falam os recém-egressos daquela colônia?

O humano causa-me náusea, mas, atraído pelo prato de sopa, lá me dirijo de novo ao convento. De tanto presenciar deslealdades e traições, confio no escravo, cuja sina se iguala à minha. E pergunto-me se de fato valeu entronizar a Vasco da Gama, aos Almeidas, pai e filho, a esses Pacheco, Soares, Albuquerque, Meneses, Sequeira? Mereceram o sacrifício que fiz por eles? Deveriam esses Mascarenhas, Sampaio, Noronha perdurar em meu poema? Promovi-os a heróis, e o que seria deles sem *Os Lusíadas*?

No arrebato, comparei Heitor da Silveira a Heitor, filho de Príamo, abatido por Aquiles, filho de Tétis, bravos domadores que entravam nas batalhas como raios de fogo, a tudo consumindo sem piedade.

Admito, porém, que o Brasil nada me diz. Não lavrarei outro poema. Tal projeto já não me diz respeito. Estou velho, à beira da morte. Não sou o cisne que, prestes a sucumbir, solta o mais belo dos seus cantos. Rouco, os dias me emudecem. Não me sobra tempo para mirar as mulheres no Rossio, travar os suspiros, sorver os goles de um vinho avinagrado que os frades me oferecem, e que a fantasia diz-me ser um palermo procedente da Itália. Que lástima despedir-me sem fartura e glória, sem mais apenas.

Este livro foi composto na tipologia Bembo Std,
em corpo 12,5/17, e impresso em papel
off-white 90g/m² no Sistema Cameron da
Divisão Gráfica da Distribuidora Record.